Julia Schoch
Das Liebespaar des Jahrhunderts

Biographie einer Frau. Zweites Buch

Julia Schoch

Das Liebespaar des Jahrhunderts

Roman

dtv

Die Arbeit der Autorin an diesem Buch wurde gefördert durch die Akademie der Künste aus Mitteln der Bundesbeauftragten der Bundesregierung für Kultur und Medien im Rahmen des Programms NEUSTART KULTUR.

4. Auflage 2023
© 2023 dtv Verlagsgesellschaft mbH & Co. KG, München
Gesetzt aus der Garamond
Satz: Fotosatz Amann, Memmingen
Druck und Bindung: CPI books GmbH, Leck
Printed in Germany · ISBN 978-3-423-28333-5

almost you
almost me
almost blue

Chet Baker

Im Grunde ist es ganz einfach: Ich verlasse dich.

Drei Wörter, die jeder Mensch begreift. Es genügen drei Wörter, und alles ist getan. Man muss sie bloß aussprechen. Ich bin erstaunt, dass es so einfach ist. Und noch etwas erstaunt mich: Der Satz ist genauso kurz wie der, den ich am Anfang unserer Geschichte gesagt habe.

Am Anfang habe ich zu dir gesagt: Ich liebe dich.

Drei Wörter am Anfang, drei Wörter am Ende. Wie es aussieht, lässt sich das Wichtigste im Leben mit sehr wenigen Wörtern sagen.

In diesem Fall allerdings, dem letzteren, darf man nicht warten. Man muss es sagen, gleich wenn der andere hereinkommt. Am besten, es gelangen keine anderen Wörter dazwischen. Man darf nicht ins Plaudern geraten, sonst ist der ganze Plan hin.

Ich gebe zu, es fällt mir schwer, den Satz auszusprechen, es *leichthin* zu tun. Denn: Was wird danach geschehen? Ich mache mir keine Illusionen. Wenn er heraus ist, ist die Grenze überschritten. Danach ist nichts mehr zurückzunehmen.

Ich habe mich immer gefragt, wie man Sachen, die gesagt worden sind, wieder zurücknehmen kann. Die Wendungen *Das habe ich nicht so gemeint* oder *Vergiss, was ich gesagt habe* ergeben für mich keinen Sinn. Statt einer Zurücknahme ist nur ein Erwachen möglich. Worte ändern etwas. Ist der Pfeil erst abgeschossen, holt man ihn nicht mehr zurück.

Ich verlasse dich. Ich weiß nicht genau, wann ich den Satz zum ersten Mal gedacht habe. Und wie viele Male seither. Ich habe ihn sehr lange geübt. Irgendwann fangen bestimmte Vorstellungen an, einem so vertraut zu sein wie das eigene Gesicht, das man jeden Morgen im Spiegel erblickt.

Wenn ich an die Zeit unseres Zusammenseins denke, erschrecke ich. So viele Jahre! So viele Jahre lassen sich auf ein paar Stunden Erinnerung zusammenstauchen.

Das gefällt mir nicht.

Andererseits will man auch nicht dreißig Jahre brauchen, um sich an dreißig Jahre zu erinnern. *Ich* will es nicht.

Was am weitesten zurückliegt, taucht für gewöhnlich am klarsten auf.

Damals bewohnte ich eine kleine Wohnung in einer Plattenbausiedlung am Rande der Stadt. Die Wohnung lag im sechsten Stock. Es war die Wohnung, in der ich auch die letzten Jahre meiner Jugend verbracht hatte, zusammen mit meinen Eltern. Aber zu dem Zeitpunkt waren sie bereits verschwunden, jeder in eine andere Richtung, es gab keine Familie mehr. Sie hatten sich getrennt, ungefähr im selben Moment, als ich zu studieren begann, und ich lebte allein darin.

In meinem Schlafzimmer standen ein Bett und ein Tisch. Auf dem Tisch hatte ich eine Menge Bücher gestapelt. Und neben den Büchern stand ein Halmaspiel.

Es war Sommer, die Semesterferien hatten gerade begonnen. Eines Abends klingelte das schwere schwarze Telefon bei mir im Flur. Damals gab es nur Telefone mit einer Schnur dran. Ich stand im Flur und hing an der Schnur. Dieser Reim ist unbeabsichtigt (solche Dinge passieren).

Du hast mich angerufen.

Magst du Vanilletee?, hast du gefragt.

Ich hätte jedes Getränk als mein Lieblingsgetränk bezeichnet, Hauptsache, es kam von dir.

Zehn Minuten später hast du mit dem Vanilletee vor meiner Wohnungstür gestanden. Ich ließ dich rein. Wir setzten uns zum Teetrinken auf den Boden. Das machten damals alle so, es war Mode. Wenn man auf eine Party kam, saßen alle auf dem Boden. Ich glaube, so ist es leichter, sich zu umarmen und gemeinsam auf den Teppich zu sinken. Wir haben es genauso gemacht. Du hast mich umarmt, und dann sind wir zusammen auf den Teppich gesunken.

Sogar den Tee haben wir ausgelassen.

Am nächsten Morgen, als ich aufwachte, hast du neben mir gelegen. Darüber habe ich mich gewundert. Dann wurde es Mittag, und du warst immer noch da. Mir schien, du warst seit Langem der erste Mensch in meinem Leben, der nicht sofort wieder verschwinden wollte. So sehr war ich die Unverbindlichkeit gewohnt.

Wir verbrachten den Tag auf meinem Balkon unter der Markise. Es war so heiß, dass wir der Wäsche beim Trocknen zusehen konnten. Unten fuhr träge die Straßenbahn vorbei. Wir lasen gemeinsam ein Buch. Es hieß »Was für ein kleines Moped mit verchromter Lenkstange steht dort im Hof«. Ein komplizierter Titel, den wir schön fanden. Zuerst las ich es, danach du. Es war nicht sehr dick, und wir schafften es beide am selben Tag.

Ich gab dir einen Schlüssel für die Wohnung. So würdest du nach Belieben kommen und gehen können. Du bist tatsächlich wiedergekommen, immer nachts.

Nach einer Woche sagte ich zu dir: Ich will mich nicht für jemanden ganz und gar aufgeben.

Du hast mich mit großen Augen angesehen und gefragt: Und worum geht es sonst in der Liebe, deiner Meinung nach?

Ich war froh, dass du es so gesehen hast. Ich war nämlich längst dabei, mich aufzugeben.

Ich ging zum Frisör. Er schnitt mir die Haare ab.

Ich habe sie mir wegen der Hitze abschneiden lassen, sagte ich, als wir uns das nächste Mal trafen. In Wirklichkeit wollte ich so aussehen wie du.

Dann, plötzlich, bist du nicht mehr gekommen. Ich machte mir Sorgen. Nicht so sehr um dich. Ich machte mir Sorgen um unsere Geschichte. Schließlich war es eine Liebesgeschichte. Um solche Geschichten muss man sich ganz besonders kümmern, sagte ich mir, vor allem, wenn sie gerade erst beginnen.

Mit einer Flasche Kirschlikör und selbstgebackenen Keksen, in die ich Haschkrümel gemischt hatte, machte ich mich auf den Weg zu dir. Deine Wohnung lag außerhalb der Stadt. Die Fahrt mit dem Bus dauerte eine halbe Stunde. Ich klingelte, aber niemand öffnete. Ein paar Minuten schlich ich um das innen hell erleuchtete Haus. Dann fuhr ich wieder zurück. Ich musste rennen, um den letzten Bus noch zu kriegen, es war schon kurz nach Mitternacht.

Die Kekse schickte ich dir per Post.

In der Mensa der Universität traf ich dich wieder. Es waren immer noch Ferien, deshalb war die Mensa wie ausgestorben. Ich dachte, du würdest so tun, als wären wir uns nie begegnet. Aber du hattest mich nicht vergessen.

Ich sagte: Warum sitzt du hier drin? Draußen ist schönes Wetter. Es sind Ferien!

Du hast die Augen zusammengekniffen und gesagt: Ich mache Ferien, wann ich will.

Du hattest so eine Seelenruhe, da wurde ich auch ganz ruhig. Gleichzeitig war ich aufgeregt.

Oft hast du mich in deinem Auto mitgenommen. Es war ein brauner VW Jetta. Wir fuhren raus aus der Stadt. Einmal flog in der Dämmerung ein Fasan vor uns auf. Ein anderes Mal streifte ein Uhu mit seinen Schwingen die Windschutzscheibe. Beim Herunterkurbeln des Fensters brach mir die Kurbel ab. Du hast gelacht. Den ganzen Sommer über fuhren wir so, mit halb heruntergelassenem Fenster.

Als der Sommer zu Ende war, habe ich dich gefragt: Was ist das zwischen uns?

Statt einer Antwort hast du mich eingeladen, zu einem Picknick im Park.

Wir schlossen einen Drei-Jahres-Pakt. Du hast gesagt: Wenn wir drei Jahre schaffen, sehen wir weiter.

Plötzlich kam ein fremder Hund auf uns zugerast und hat nach dem Käse in unserem Picknickkorb geschnappt. Der Hund ging sofort japsend und würgend zu Boden. Ungerührt, ja fast mit Häme hast du zugeschaut. Als bekäme einer, der sich in unsere Angelegenheiten mischt, sofort die Quittung.

Dann ist der Hund weggerannt.

Und du hast mich geküsst.

(Diese Erzählung erscheint mir wie die Zusammenfassung eines Films, den ich vor sehr langer Zeit und auf einem sehr alten Fernsehgerät gesehen habe. Ich kann nur einzelne Szenen wiedergeben, während mir die Gesamtdramaturgie entfallen ist.)

Es war nicht Schluss nach drei Sommern.

Wir haben einunddreißig Sommer zusammen erlebt. Sechs davon wurden in den Nachrichten als Jahrhundertsommer bezeichnet.

Während dieser Zeit haben wir 42 Reisen unternommen, 27-mal sind wir ins Ausland gefahren.

Wir haben vier Küchen angeschafft.

Fünfmal wurde uns ein neuer Ausweis ausgestellt.

Einmal haben wir einen Brand miterlebt und mussten evakuiert werden.

Wir waren insgesamt siebenmal in der Notaufnahme, viermal wegen eines unserer Kinder und dreimal wegen uns selbst.

Sechsmal wurden wir bestohlen.

Wir haben sechs verschiedene Autos gehabt. Keins davon haben wir neu gekauft.

Wir haben insgesamt neuneinhalb Tage auf Ämtern verwartet.

Wir haben 912 Partien Halma gespielt.

Wir haben 8667 Schulbrote geschmiert und 41 Geburtstagstorten gekauft.

In diesen Jahren haben wir 173 500 Fotos gemacht.

Wir hatten insgesamt 76 Infektionen. (Die meisten davon machte ich durch.)

Wir hatten vier Operationen, davon eine schwere.

Wir haben 1405-mal ein Bad genommen.

281-mal waren wir beim Frisör.

Wir haben beide ein Kopfkissen zerfetzt (jeweils an einem anderen Tag und aus verschiedenen Gründen).

Achtmal schafften wir uns einen neuen Laptop an.

Wir waren auf Beerdigungen und auf Hochzeiten. Aber die habe ich nicht gezählt.

Ich bin mir nicht sicher, ob Jahreszahlen unserer Geschichte etwas Wesentliches hinzufügen würden. Ob unsere Geschichte davon *abhängt*. Sollte man die Liebe nicht besser beschreiben, ohne sie einer bestimmten Zeit zuzuordnen?

Oder braucht es ein Anfangsjahr? Würde es also etwas ändern, wenn ich sagte: Wir lernten uns 1991, 1994 oder im Jahr 2000 kennen? Solche Angaben würden mir das Gefühl vermitteln, wir wären nur das Produkt einer bestimmten Epoche, die Folge gewisser historischer Umstände. Als hätte alles so kommen müssen, wie es gekommen ist. Es käme mir vor, als wäre ich eine Gefangene der Zeit.

Andererseits *ist* alles so gekommen, wie es gekommen ist. Es gibt keine Variante unserer Geschichte.

Fest steht: Wir waren jung. Es hatte gerade eine Revolution gegeben. Die Berliner Mauer, ja sämtliche Grenzen waren ein paar Jahre zuvor gefallen. Es herrschte Freiheit, wie es damals hieß, die Welt stand uns offen. (Auch das sagte man so.) Trotzdem schien es, als wollten alle meine Freunde, mich eingeschlossen, sterben. Mit großer Geste zugrunde gehen – oder wenigstens das Land verlassen. So stellten wir uns das vor. (Für die meisten Menschen in unserem Alter war es üblich, das neue, große, wiedervereinte Deutschland abzulehnen.) Aber wahrscheinlich hatte es gar nichts mit Politik zu tun. Wir waren uns sicher, die Existenz ist ein düsterer Ort. Sie verlangte nach stummer, poetischer Revolte. Und kein Geschichtsereignis, nicht einmal ein hoffnungsfrohes, würde daran je etwas ändern. Jeder an eine Packung roter Gauloises geklammert, saßen wir in der Cafeteria der Universität, tranken Kaffee und zitierten mit melancholischer Miene Gedichte von Georg Trakl. Eins hieß »De profundis«. Es begann so:

Es ist ein Stoppelfeld, in das ein schwarzer Regen fällt.
Es ist ein brauner Baum, der einsam dasteht.

Du hast unserer Komödie voller Ungeduld zugesehen.
Ich halte nichts vom Unglücklichsein, hast du schulter-
zuckend gesagt. Es ist Energieverschwendung.
Von da an achtete ich auf dein Kommen und Weg-
bleiben. Die Gründe fürs Sterbenwollen gingen mir alle
aus.

Ich fand dich stattlich. Ein Wort, das zu der Zeit kein
Mensch gebrauchte und das wie aus einem fernen Jahr-
hundert zu mir angeflogen kam. Als hätte es nur darauf
gewartet, endlich wieder einmal benutzt zu werden. Damit
ich es für den einzig Richtigen benutzte: dich.
Im Gegensatz zu den meisten Studenten, die Jeans mit
Löchern und Trainingsjacken trugen, hast du dich wie ein
Dandy gekleidet. Sogar die Dozenten hast du mit deiner
Eleganz beschämt. Der Schnitt deiner Anzüge und Hem-
den war aber nicht modisch, sie schienen eher aus einem
Film zu stammen, einem Film mit Cary Grant oder James
Stewart. An anderen Tagen bist du herumgelaufen wie ein
Bibliothekar: Hornbrille, Schlaghosen, dazu senffarbene
Plateauschuhe, die dich noch größer machten, als du ohne-
hin schon warst.
Du warst so schön, dass du vollkommen gelassen häss-
lich sein konntest.
Bevor du den Seminarraum betreten hast, hast du jedes
Mal gewartet, bis alle anderen saßen. Die Tür flog auf, und

du standst da, mit wehendem Mantel, sodass alle Gesichter sich dir zuwandten.

Ich habe später oft daran zurückdenken müssen, wie du jedes Mal dastandst, in diesem wunderbaren wehenden Mantel. Aber dann, noch später, dachte ich immer häufiger etwas anderes. Ich dachte: Nein, der Mantel wehte nicht. Er *konnte* nicht wehen. Es war ein grüner Igelitmantel, ein steifes Etwas. Trotzdem war es so: Du standst da, mit wehendem Mantel, sodass alle Gesichter sich dir zuwandten. Nicht mal eine Entschuldigung musstest du erfinden, so sehr bewunderte man deine Auftritte.

Ich liebte dich sofort. Wenn wir uns im Stehen unterhielten, musste ich den Kopf in den Nacken legen, um in dein Gesicht zu sehen. Ich stand vor dir und schaute hoch – diese Haltung! Es scheint, es war von Anfang an abgemacht, dass ich dich anhimmelte.

Damals arbeitete ich an den Wochenenden in einem Kino. Es war alt und lag in einem Hinterhof, mitten in der Stadt. (Die großen Multikomplexkinos, draußen in den Shoppingcentern oder am Bahnhof, wurden gerade erst gebaut.) Wenn ich nachmittags das Tor aufgeschlossen hatte, räumte ich Süßigkeiten auf den Tresen, warf die Popcornmaschine an und fegte den Saal. Im Winter heizte ich das Gebäude mit Kohle, die ich wie auf einem Schiff mit einer Forke in den Ofen schippte. Bevor die ersten Zuschauer kamen, nahm ich mir ein Eis aus der Gefriertruhe. Dann ertönte der Gong. Ich stellte mich ganz hinten in den Saal, halb verborgen vom Vorhang, und schaute der Vorführung eine Weile zu.

Ich erzählte dir von meiner Arbeit, dem Kino.

Du kanntest es.

Ach, sagte ich.

Ich sagte dir nicht, dass ich dich früher schon einmal dort gesehen hatte, ein paar Wochen bevor du mit dem Vanilletee vor meiner Tür gestanden hast. Du warst mit einem rothaarigen Mädchen zusammen gewesen. Ihr Anblick hatte mir einen leichten Stich versetzt. Nicht weil sie übermäßig hübsch gewesen wäre. Sie war nicht hübsch gewesen, ganz und gar nicht. Und trotzdem hattest du ihre Hand gehalten und deinen Arm um ihre Schulter gelegt. Kurz war mir der Gedanke gekommen, du wärst vielleicht ein Heiliger. Jemand, der imstande ist, in einem anderen Menschen ein Wunder zu entdecken.

Dass es also auch bei mir möglich sei.

Später, nach dem Vanilletee, gab ich dir die Nummer des Kinos. Das Telefon, das neben dem Tresen an der Wand hing, klingelte oft, und ich wünschte mir jedes Mal, du wärst es. Aber es waren nur Leute, die nach dem Programm und den Anfangszeiten der Filme fragten.

Du bist am liebsten überraschend aufgetaucht. Meist war es schon kurz vor Mitternacht, nach dem Ende der letzten Vorstellung, und ich schloss das Gebäude ab. Du hast ein Stück entfernt gestanden, an einer Hausecke. Als hättest du befürchtet, jemand anderem zu begegnen als mir, hast du in der Dunkelheit gewartet. Das gab unseren Treffen etwas Exklusives. Ich fand es aufregend, dass du aus unserem Zusammensein ein Geheimnis machtest. Ich stieg in dein Auto, und wir fuhren los (der Uhu, die Fasane, die märkische Landschaft bei Nacht).

Die Spannung jedes Mal, bevor wir übereinander herfielen.

In jenem ersten Jahr hatte ich nicht das Bedürfnis, jemandem von uns zu erzählen. Ich schrieb nichts auf. Ich war vorsichtig. Noch ist es nicht dran, das Erzählen, sagte ich mir. Das Erzählen war in meinen Augen etwas, das erst am Schluss kommt. Es kommt sehr weit hinten, dachte ich, in einer fernen Zeit, die mir vollkommen abstrakt erschien. Fing man zu früh damit an, war womöglich alles zerstört.

Nicht einmal meiner Mutter, die ich nur selten sah, sagte ich etwas. Als sie sich darüber wunderte, dass ich so glücklich war (ein für mich ungewohnter Zustand), sagte ich nur: *Ich habe jemanden kennengelernt.*

Zum ersten Mal besuchte ich dich in deiner Wohnung. Bevor ich hineinging, sagtest du:

Ich muss dich warnen, es ist kein Schloss.

Ich ging rein, und es war kein Schloss.

Zuerst war es mir egal. Dann schlug ich dir vor, die Matratze gegen ein Bett zu tauschen, den Tapeziertisch gegen einen Schreibtisch. Während ich redete, hast du auf einem ausgeblichenen Klapppolster gesessen und mir lächelnd zugehört, die Arme hinter dem Kopf verschränkt.

Ich kaufte dir eine Musikanlage, eine Kommode, einen Läufer und einen nussbaumfarbenen Stuhl mit geschwungenen Beinen. Du hast dich darüber gefreut, aber ich merkte, dass du nichts davon vermissen würdest, wenn es eines Tages verschwunden wäre.

Das Einzige, an dem du zu hängen schienst, war ein Servierwägelchen, auf dem eine weiße Napoleonbüste aus Gips stand.

Es war Teil deiner Persönlichkeit, dass du wie ein Einsiedler gelebt hast, scheinbar ohne Bedürfnisse warst. Deine Aufmachung, der Mantel, die altmodischen Anzüge, die wenigen Dinge, die du besessen hast – all das konnte man als Zitat verstehen, aber manchmal schimmerte etwas durch, und dann konnte ich sehen, dass du dir vielleicht deshalb nichts aus den Dingen gemacht hast, weil du dir nichts daraus machen *durftest*. (Wenn man arm ist, liegt es vielleicht nahe, Reichtum zu verachten.) Aber in Wahrheit spielten solche Einteilungen keine Rolle. Wir kamen nicht aus einer Welt, in der es darum gegangen wäre, ob jemand vermögend war oder nicht. Wir interessierten uns für andere Dinge. Wir dachten über Freiheit und Anarchie nach, über die Irrationalität des Kleinbürgers, über die Sinnlosigkeit von Utopien oder die Trägheit der Masse.

Mit dem Geld, das ich im Kino verdiente, lud ich dich in Restaurants ein, in die *Pagode*, ein zweistöckiges China-Restaurant, das damals beliebt war, ein anderes Mal aßen wir italienisch, griechisch.

Im Gegenzug brachtest du mir manchmal Blumen mit, langstielige Sonnenblumen oder kanadische Goldrute, die du dir auf dem Weg zum Parkplatz lässig über die Schulter gelegt hast wie ein Cowboy sein Gewehr. Du spieltest mir Musik von Chet Baker vor und brachtest mir Offiziersskat bei. (Die Tatsache, dass ich als Tochter eines ehemaligen Offiziers das Spiel nicht kannte, amüsierte dich.) Wir spielten Halma und Scrabble. Manchmal würfelten wir auch. Ich zeigte dir, wie man mit einem Luftgewehr in die Mitte einer Zielscheibe trifft, und schenkte dir Bücher von Peter Handke und Wolfgang Hilbig. Die meisten Bücher in *deinem* Regal hatten etwas mit Erotik zu tun, der Erotik der Moderne, François Villon, Henry Miller, Charles Bukowski, Georges Bataille, Brecht (die Liebesgedichte), einer bestimmten Form von Frivolität. Die Bücher stammten aus einer anderen Zeit, der Zeit vor mir. Ich wusste nicht, wer sie dir geschenkt hatte. Ich wusste nicht mal, ob du sie gelesen hattest. Hattest du dich in sie versenkt? Vor dem Regal kniend, kommentierte ich die einzelnen Titel. Ich machte mich lustig darüber, was dir egal war.

Als Jugendlicher habe ich »Der stille Don« von Scholochow gelesen, sagtest du bloß, stell dir vor, vier Bände Scholochow!

Es klang gedankenverloren, irritiert, als könntest du es selbst nicht fassen. Seither waren nur acht oder neun Jahre vergangen, aber die Welt war eine vollkommen andere geworden.

Dein Leben schien aus lauter Geheimnissen zu bestehen. Fast widerstrebend hast du mir erzählt, du würdest in einer Band spielen. Ich versuchte herauszufinden, wo die Band auftrat. Es war eine aufwendige Suche, man musste sich die

Informationen aus privat gedruckten Zeitschriften oder den Gesprächen Eingeweihter zusammenklauben. Als ich den Ort des nächsten Auftritts herausbekommen hatte, fuhr ich ohne dein Wissen hin. Auch der Club war nicht einfach zu finden. Dann, endlich, stand ich vor der Bühne, aber es war zu spät, dein Auftritt war vorbei, es spielte bereits die nächste Band. Du hast mit ein paar Leuten im Saal gestanden und hast zugesehen. Es waren nicht sehr viele gekommen, was es mir schwer machte, mich zu verstecken. Dann merkte ich, dass ich mich gar nicht zu verstecken brauchte. Weil du nicht mit mir gerechnet hattest, hast du mich auch nicht gesehen. (Irgendwann später habe ich es dir erzählt. Du warst nicht verärgert, eher überrascht. Dass du mich nicht bemerkt hattest, schien dich weniger zu erstaunen als mich.)

Mir gab die Sache zu denken. Offenbar hatte meine Anwesenheit keinerlei Magie verströmt. Aber zu jener Zeit verschwanden diese Verletzungen rasch wieder, sie gerieten in den Hintergrund, wurden überdeckt von Zärtlichkeiten, von der Gewalt der Zärtlichkeit, die allen Anfängen innewohnt.

Auf unsere Verabredungen bereitete ich mich mit beinahe zeremoniellen Handlungen vor. Ich stieg in die Badewanne, wusch mir die Haare, wählte sorgfältig meine Kleidung aus. (Was hieß, sie musste sich auf raffinierte Weise ausziehen lassen.) Dann traf ich dich an einer bestimmten Kreuzung im Stadtzentrum, und wir fuhren zu dir. Bei Kerzenschein hast du Tarotkarten ausgelegt, das *keltische Kreuz*.

Ich erfuhr, dass meine Persönlichkeitskarte der Wagen ist, deine Lebenskarte ist die Sonne. Sogar aus der Hand hast du mir gelesen. Ich hatte gute Anlagen, aber die rechte Hand unterschied sich deutlich von der linken, was bedeuten konnte, dass ich gegen mich arbeitete. Deine Ehrgeiz- und Karrierelinie war kürzer als meine, was du mit einem Seufzer quittiert hast.

So was kann man nicht ändern, man muss das Beste draus machen, sagtest du.

Nichts davon kam mir albern vor. Wenn ich über die Brücken in der Stadt lief, warf ich jedes Mal ein kleines Geldstück hinein und wünschte mir die Ewigkeit. Ich sagte mir, so ein Rausch währt nicht lange. Man selbst sorgt dafür, dass er nicht lange währt. Es kann traurig sein, bei Mondschein über eine Brücke zu gehen. Ja, traurig und zum Fürchten. Aber während ich das dachte, rannte ich, ich rannte und dachte zugleich, die Brücke unter mir hört nicht auf, das dunkle Wasser funkelt ewig.

Im September lagen wir am See. Wir fuhren mit den Rädern eine Holperstraße entlang, dann ein langes Stück durch den Wald. Du auf einem alten Damenrad, ich hinter dir her mit einem Rennrad, von dem immerzu die Kette absprang. Wir aßen Kirschkuchen, tranken mitgebrachten Wein. Über den Kiefern ein hoher Wolkenhimmel, darunter grünes Schilf. Die Tage kamen mir vor wie die letzten Tage im Frieden. Ich war darauf gefasst, dass jeden Moment Flugblätter auf uns herabrieseln würden, die eine Katastrophe verkündeten.

Im Gegensatz zu dir war mir das Glück unheimlich. Ja, ich glaube, so war es, so dachte ich es.

Das Lateinlehrbuch auf den Knien, lernte ich für das Große Latinum. Die Studienordnung schrieb das so vor. Wir hatten beide kein Latein in der Schule gehabt, und ich musste den Stoff von mehreren Jahren in zwei Semestern schaffen. Doch das machte mir nichts aus. Ich lernte die Vokabeln wie verrückt, ich vertiefte mich in die Texte. Dass die Epoche, von der sie handelten, so weit zurücklag, gefiel mir. Ich wollte keine Literatur lesen, in der es um die Gegenwart ging. Die Gegenwart, das waren du und ich. Ich wollte sie nicht teilen mit Autoren, die in der Hinsicht anderer Meinung waren.

Du sahst mir ruhig dabei zu, wie ich lernte.

Bleibt das Leben so einfach?, fragte ich dich.

Natürlich, sagtest du.

Ich lachte. Ach ja?

Du sahst mich ernst an. Dann sagtest du: Keine Ahnung, aber ich will es so.

Wenn zwei sich lieben, glaubt man anfangs an ein Wunder. Oder man denkt an Biologie, an chemische Prozesse. Und später, wenn ich über uns nachdachte und darüber, was uns zusammengebracht hat, zog ich noch andere Dinge in Betracht. Wir waren beide in einer Diktatur aufgewachsen. Wir kannten dieselben Filme, dieselbe Musik, wir hatten die gleiche Sehnsucht gehabt. (Es ist schwer, die süße Ausweglosigkeit zu beschreiben, in der unsere Kindheit stattgefunden hat. Eine Art sanftes Mahlwerk.) Wir hatten uns beide geschämt beim Anblick der Leute, die wie im Rausch ihre Einkaufstüten füllten, als sie zum ersten Mal in den Westen fahren durften. Und wenn wir im Ausland waren, fühlten wir uns – selbst nach Jahren – immer ein bisschen wie Davongekommene. Wir hatten Glück gehabt. Der Lauf der Welt in unserem Teil der Welt meinte es eindeutig gut mit uns.

Eine lange Zeit sah ich selbst dort Ähnlichkeiten, wo es gar keine gab. So dachte ich zum Beispiel, unsere Väter hätten nur auf den ersten Blick verschiedene Berufe gehabt. Dass sie im Grunde dasselbe Ziel im Leben verfolgt hätten – trotz ihrer Verschiedenheit. Denn obwohl dein Vater ein Künstler gewesen war, der mit seiner Kunst den Staat kritisiert hatte, und meiner ein Staats*diener*, hatten sie ihn doch schließlich beide gebraucht für ihr Leben, nur von verschiedenen Seiten her. So dachte ich mir das. Der Beweis: Als er plötzlich verschwand, der Staat, und mit ihm die ganze Ideologie, hatte es beiden, deinem und meinem Vater, den Boden unter den Füßen weggerissen.

(So was geschieht nicht von einem Tag auf den anderen. Auch wenn in den Geschichtsbüchern Jahreszahlen stehen, die das Ende eines politischen Systems auf den Tag genau festlegen, dauert es oft lange, bis man es den Menschen anmerkt. Plötzlich sind dreißig Jahre vergangen, und man denkt: Das alles hat ihm offenbar den Boden unter den Füßen weggerissen. Als würde jemand in Zeitlupe, über Jahre hinweg, ausrutschen.)

In Wahrheit gab es da keinerlei Parallelen. Auch wenn

ich mir eine Entsprechung wünschte, eine Ähnlichkeit, die uns verband.

In Wahrheit war es so: Indem ich mich dir und deiner Familie anschloss, konnte ich meine eigene beschämen. Ja, in gewisser Weise tilgte ich meine Herkunft durch die Liebe zu dir.

Man erkennt immer zu spät, wie die Dinge wirklich liegen. Aber selbst wenn ich es damals schon begriffen hätte, zu der Zeit, als alles begann, hätte ich mir nicht sonderlich viele Gedanken darüber gemacht. Ich hätte es abgelehnt, unsere Verbindung abzuleiten aus dem, was unsere Mütter und Väter getan oder nicht getan hatten, ob sie sich ähnelten oder nicht, wer sie waren und in was sie sich mit der Zeit verwandelt hatten.

Ich glaube, ich lehne es noch immer ab. Ich will nicht, dass unsere Liebe ihren Grund in so etwas Gewöhnlichem wie unserer *Herkunft* hat.

Psychoanalytische oder soziale Deutungen helfen mir nicht. All das zu wissen ändert nichts an dem Gefühl der Ungeheuerlichkeit, das ich angesichts unserer Geschichte empfinde. Der Ungeheuerlichkeit, sie hinter mir zu lassen. (Aber wie verlässt man seine Vergangenheit?)

Genauso gut könnte auch das eine Erklärung sein: Es hat mich immer interessiert, wie es weitergeht. Ich habe mich einfach immer gefragt: Was passiert als Nächstes – mit uns? Und also ging es weiter.

Mit der Zeit war mir das Glück nicht mehr unheimlich. Die Vorstellung, aus Flugzeugen werde über mir etwas abgeworfen, verschwand. Mich beschlich nicht mehr das Gefühl, etwas Schreckliches stehe mir bevor. Das alles waren alte Gefühle, aus meinem alten Leben, dem Leben *vor* dir.

Weil ich nicht mehr auf der Suche nach Liebe war, weil ich nicht mehr *unglücklich* verliebt war, musste ich auch kein Tagebuch mehr schreiben. Ich las systematischer, ich fing an, ein Arbeitsbuch zu führen, in dem ich Überlegungen zur Freiheit und zum Verhalten der Menschen notierte, die in ihr lebten. (Wann kommt das wahre Gesicht des Menschen zum Vorschein – wenn er unter Druck, also in Bedrängnis ist, oder in Freiheit?) Ich begann, meine Vergangenheit distanziert zu betrachten.

Nicht einmal die Erinnerung an eine Überzeugung bleibt mir, schrieb ich. Eine blinde Überzeugung, der ich früher angehangen habe und von der ich geheilt werden könnte. Ich schrieb, meine Nüchternheit ist nicht die Folge einer Ernüchterung. Ich war nie erhitzt, ich habe an keine Ideologie geglaubt, ich bin nur zufällig in eine hineingeboren worden, und dann war sie plötzlich weg und all das nicht mehr wichtig. Und jetzt? Müssen wir unsere Schuld suchen, etwas, in das wir uns verrennen können. Und so weiter.

Solche Sachen schrieb ich.

Wir machten uns lustig über den Ernst und die Tragik, mit denen die meisten Liebesgeschichten in der Literatur oder in Filmen enden. Dabei war doch alles so einfach! Auf unseren Fahrten außerhalb der Stadt, zwischen Feldern, an dunklen Seen entlang, dachten wir uns kitschige Handlungen für Opern oder Theaterstücke aus. Sogar ein Manifest verfassten wir. Es hieß »Manifest der radikal Liebenden«. Du hast im Sekretariat der Uni Kopien davon gemacht, die wir aus dem Auto heraus verteilten. Wir hängten sie an Bushaltestellen auf. In manchen Ortschaften gab es noch welche, einsame steinerne Häuschen am Feldrand. Als wir eins der Blätter in den Schaukasten eines leerstehenden Kulturhauses kleben wollten, kam ein Mann mit einem Rottweiler auf uns zu.

Was machen Sie?, rief er schon von Weitem.

Der Hund bäumte sich auf.

Du bliebst ganz ruhig stehen. Dann hast du dich zu mir runtergebeugt und mich gierig geküsst, bevor du gesagt hast: Sehen Sie doch, wir vertreiben uns die Zeit bis zur nächsten Revolution. Dabei hast du nicht gelacht oder gegrinst, nicht einmal das Gesicht hast du verzogen.

Weil du nichts davon getan hast, wurde der Mann unsicher. Er beschimpfte uns als Westler und rief, wir sollten verschwinden. (Zu der Zeit waren die Leute wieder misstrauisch und unwillig geworden, als hätten sie genug von all den Freiheiten und Verrücktheiten, die mit der neuen Zeit einhergingen.)

Wir machten, was er verlangte, wir verschwanden, aber gemächlich und ohne Erwiderung. Als wir im Auto saßen, hast du umständlich wie in der Fahrschule gewendet, in drei Zügen und mit angestrengtem Blick über die Schulter. Sehr langsam, mit höchstens 10 km/h, fuhren wir davon.

Ich habe versucht, dich zu ergründen.

Gleichzeitig versuchte ich es nicht.

Ich habe dich fotografiert. Diese Porträts glichen Ikonenbildern. (Ich fand dich viel schöner als mich selbst.)

Du hast Zeichnungen von mir gemacht. Ich, lesend im Sessel, auf dem Bett.

Schließlich hast du mir ein Bild geschenkt: dein Gesicht von wilden Strichen überzogen, wie unter Dornengestrüpp, die Lider geschlossen. Ein Ausdruck, als müsstest du darüber nachsinnen, was dir geschah.

Mir hatte noch nie jemand ein selbstgemaltes Bild geschenkt. Ich war überhaupt noch nie einem Mann begegnet, der etwas von Kunst verstand.

Das Bild machte mich mutig. Ich schrieb ein Gedicht für dich. Es war mit blauer Tusche geschrieben. Du hast es mit konzentriertem Gesichtsausdruck gelesen und danach an die Wand geheftet, ohne ein Wort.

Ich habe es dir nie erzählt, aber es war das zweite Gedicht, das ich für einen Mann geschrieben hatte. Wenige Wochen bevor ich begonnen hatte, regelmäßig nach dir Ausschau zu halten – in der Cafeteria, auf dem Campus, in den Seminarräumen, auf dem Parkplatz der Universität –, hatte ich einen jungen Mann damit beeindrucken wollen. Ich kannte ihn aus einer der Kneipen, in die damals alle Welt ging. Irgendwer hatte mir gesagt, er sei Künstler (und schließlich trug er einen Pulli, der von getrockneten Farbspritzern bedeckt war). Ich weiß, dass ich eines Abends durch die halbe Stadt gefahren bin, um es ihm vorzulesen.

Ich hatte ihn angerufen, und er gab mir die Adresse, zu der ich sofort aufbrechen sollte.

Schon beim Hereinkommen merkte ich, dass etwas nicht stimmte: Für einen Künstler war es viel zu aufgeräumt. (Offenbar hatte ich zu jener Zeit eine genaue Vorstellung davon, wie es bei Künstlern zuging.) Er führte mich ins Schlafzimmer, wo ein Mädchen auf dem Bett lag. Es trug ein schwarzes T-Shirt und einen schwarzen Slip. Auch ihre Augen unter dem Pony waren schwarz. Der Junge, der ein Künstler sein sollte, setzte sich neben das Bett auf den Boden und winkte mich heran. Ich verstand nicht, was das Ganze sollte. Wozu hatte er mich eingeladen? Wessen Wohnung war das? Hatte er mich in die von ihr gelockt?

Auf seinen Wunsch hin kroch das Mädchen unter die Decke, ich setzte mich dazu, und er erzählte eine Geschichte – mehr dem Mädchen als mir. In der Geschichte ging es um eine sprechende Glühlampe. Es war eine kindische Geschichte. Vielleicht kam sie mir auch deshalb so kindisch vor, weil sie nicht für mich bestimmt war. Während er sprach, streichelte er das Mädchen, das inzwischen zu schlafen schien.

Irgendwann ging ich. Ich stand einfach auf und verließ wortlos das Zimmer. Das Gedicht ließ ich im Flur liegen. Das ist das Einzige, was ich bereue – bis heute bereue ich es. Wenn ich daran zurückdenke, stelle ich mir noch immer vor, wie sie sich amüsiert haben. Ganz sicher haben sie sich am nächsten Morgen darüber amüsiert.

(Später, nach vielen Jahren, habe ich ihn wiedergesehen. Es war in der Ankunftshalle des Berliner Flughafens, und ich wartete auf dich. Ich weiß nicht, ob er mich erkannt hat. Ich glaube, nicht, denn zu der Zeit war ich mir sicher, dass ich mich stärker verändert hatte als die Menschen um mich herum. Die Frau, die er abholte, kam vor dir heraus. Ich schaute ganz unverhohlen zu, wie sie sich lange umarmten. Ich war erleichtert, dass es nicht das schwarzhaarige Mädchen aus dem Bett war. Wenigstens hat er seinen Irrtum eingesehen, dachte ich. Zugleich erfasste mich eine Verunsicherung. Ich wusste plötzlich: Hätte er mich dem Mädchen damals vorgezogen, wäre ich *ihm* gefolgt. War unsere, deine und meine, Geschichte also beliebig?)

Nachts, auf der leeren Hauptstraße, bist du manchmal auf meinem Rad zu dem erleuchteten Getränkemarkt gefahren, am Ende der Straße. Ein Riese auf einem Dreirad. Während du Schlangenlinien gefahren bist, hast du mich ermahnt, ja stehen zu bleiben, da unter der Laterne, im Licht. Man muss dich im Auge behalten!, hast du gerufen, nie befolgst du meine Anweisungen, und im selben Moment bist du mit dem Rad in die Straßenbahnschienen geraten und hingeschlagen, und wir lachten und lachten, als hätten wir in unserem ganzen Leben noch nie etwas so Lustiges erlebt.

Wie glücklich ich war, wie schön wir es hatten. Unsere Tage waren lang und leer und zugleich angefüllt. Dein Pyjama lag bei mir im Bett. Es war ein Alt-Herren-Schlafanzug, und manchmal hast du dich damit ans geöffnete Fenster gestellt, die Hose bis unter die Brust gezogen, den rechten Arm zu einer seltsamen Kampfgeste erhoben, und hast den Leuten unten auf der Straße zugeschrien: Erhebt euch, ihr Massen! Wir nannten es den Pantoffelrevolutionär. Es gab eine Menge solcher Figuren, merkwürdige, verschrobene Phantasiegestalten, die eine eigene Welt bildeten und für immer zu uns gehören würden.

Der Plan, aus Deutschland wegzugehen, womöglich sogar für immer, an dessen Umsetzung ich seit Beginn meines Studiums so sorgsam getüftelt hatte – plötzlich erschien er mir wie eine Falle. Ich wollte nicht mehr weg. Was sollte verheißungsvoll am Weggehen sein? Ich zerriss den Brief, in dem mir ein Stipendium für einen Aufenthalt in Südfrankreich bewilligt wurde.

Du hast mir zugeredet. Ich schreibe dir, hast du freundlich gesagt und meine vom Weinen rote Nase geküsst. (Erst später, sehr viel später, wenn ich daran zurückdachte, kam es mir so vor, als hättest du mich weggeschickt.)

Zum Abschied hast du mir deine Pyjamajacke gegeben, in die ich mich nachts wickeln sollte. »Etui der Liebe« stand auf einem Zettel, der in der Brusttasche steckte. Ich schenkte dir einen Granatapfel. Irgendwann, im Jahr darauf oder noch etwas danach, bemerkte ich ihn auf einem Regal in deiner Wohnung. Er war inzwischen dunkelbraun und leicht schrumpelig geworden. Damals rührte mich der Anblick. Inzwischen habe ich begriffen, dass du schon damals vieles nicht wegwerfen konntest. Vieles von dem, was *dir* gehörte. Die Dinge lagen einfach da, setzten Staub an, ohne dass man wusste, ob du nostalgisch warst oder nur vergesslich.

Viel Zeit verging nicht, und du hast mir tatsächlich geschrieben. Du schriebst, du seist jetzt ebenfalls in Frankreich, in Paris, und ich trampte den langen Weg aus Südfrankreich Richtung Norden, mit sieben oder acht verschiedenen Autos fuhr ich mit. Rechtzeitig kam ich am vereinbarten Treffpunkt an, um sechzehn Uhr am Springbrunnen vor dem Centre Georges Pompidou. Ich hatte gerade meine Tasche abgestellt, und da warst du. Das alles erschien mir ungeheuerlich.

Du nahmst mich mit in ein Hotel, in dem du fürs Erste untergekommen warst. Es lag in der Nähe der Metrostation La Fourche und erinnerte mich an Romane von Balzac. Wenn man im Treppenhaus die schmale Stiege hochkam, öffneten sich jedes Mal die Zimmertüren einen Spaltbreit, und heraus lugten verschlossene, angstvolle Gesichter.

In dem Hotelzimmer gab es neben einer Matratze und einem türlosen Schrank nur ein verstopftes Waschbecken. Nachts machten sich Kakerlaken über die Reste vom Baguette her. Es war ein scheußlicher Ort, zugleich schien die Scheußlichkeit der Preis dafür zu sein, dass wir nicht mehr träumten. Wir waren in der Wirklichkeit angekommen. Nur an ganz wenigen Dingen konnte man erkennen, dass wir Neulinge waren – in Paris, in den Hauptstädten Westeuropas, den fremden Sprachen, überhaupt in der *westlichen* Welt: an deinem Koffer, sperrig und braun, der wie aus einer Brecht-Inszenierung war; an unserer Unkenntnis, wenn es um Wein oder Meeresfrüchte ging; an der Freude daran, unsere Wäsche in einem Waschsalon zu waschen. Alles geschah zum ersten Mal.

Wir kauften Unmengen von Büchern, Bildbänden und Schallplatten. Fast täglich gingen wir ins Kino. Als müssten wir ein ganzes Jahrhundert aufholen, sahen wir Filme von Pasolini, Fellini und Rossellini, von Cassavetes und Buñuel, von Godard, Truffaut und Antonioni, von Resnais und Renoir, von Welles, Scorsese und Arthur Penn, von Pollack, Altman und Peckinpah. Wir gingen zu jeder Tageszeit ins Kino, manchmal bereits vormittags. Im Rückblick betrachtet, stiegen wir immerfort in Metrogänge hinunter, und wenn wir wieder herauskamen, war es jedes Mal schon dunkel, die Straße glänzte regennass.

Für die Rückreise in den Süden nahm ich den Zug, auch wenn ich es mir eigentlich nicht leisten konnte. Die Türen des TGV schlossen sich, und ich versuchte nicht, mein tränenüberströmtes Gesicht zu verbergen.

Du hast mir aufmunternd zugewinkt.

Erst Jahre später fing ich an, darüber nachzudenken, was du gemacht hast, wenn ich nicht anwesend war. Aber damals noch nicht. Damals war ich glücklich. Selbst wenn wir weit voneinander entfernt waren. Jemand dachte an mich: du. Also existierte ich.

Wir verabredeten uns zu Telefonaten, die wir von bestimmten Telefonzellen aus führten. Manchmal verzichtete ich auf das Sandwich am Mittag im *restau U*, der Mensa der Uni, um von dem gesparten Geld länger mit dir reden zu können.

Bei meinem nächsten Besuch in Paris fuhren wir in ein anderes Viertel, im 18. Arrondissement. Du führtest mich in ein weitläufiges Appartement, in dem es bis auf einen Campingtisch und einen Klappstuhl keine Möbel gab, dafür aber zwei Badezimmer mit goldenen Armaturen. Auf meine Frage, wie du die Wohnung aufgetrieben habest, machtest du wie ein Zauberer bloß einen Schlenker mit der Hand. Dann hast du Wasser in die Wanne laufen lassen und ein Haiku gedichtet:

Der Affe macht Platz
Das Mädchen badet heiß
Wie die Quelle dampft!

Gelegentlich nahmen wir Möbel, die am Straßenrand standen, mit in die Wohnung, ein Tischchen, eine Stehlampe, einmal sogar ein Sofa. Es hatte keine Beine mehr. Wir zwängten es in den Fahrstuhl mit der eleganten gusseisernen Gittertür und trugen es über den Teppich, der im Treppenhaus lag. Wir liebten uns darauf, und dann lagen wir da, neben dem geöffneten Fenster, und tranken Bier aus riesigen Flaschen, die wie Champagnerflaschen aussahen. In der Nacht hupten die Alarmanlagen der Autos, und wenn ich morgens erwachte, dachte ich: Das ist mein Leben!

Die Zukunft lag vor uns. Ich wusste, eines Tages würde sie hinter uns liegen, ganz bestimmt. Ich wusste es, oder ich nahm es an, aber ich konnte es nicht fühlen. Deshalb war es mir egal.

In gewisser Weise lebten wir zu jener Zeit tatsächlich herkunftslos. Es gab keine Eltern mehr. Sie waren am Leben, aber was wir von ihnen gelernt hatten, war nichts, das uns in der neuen, der *freien* Welt von Nutzen gewesen wäre. Sie freuten sich für uns. Mit bewundernder Anerkennung verfolgten sie unser Weggehen. Sie selbst würden keine Sprachen mehr lernen oder noch mal studieren. Sie absolvierten Umschulungen, die ihnen verordnet worden waren. Sie triumphierten im Stillen, dass sie das *westliche System* in seinem Kern durchschauten. Manchmal meinten sie, es besser zu begreifen als die Menschen, die seit jeher darin lebten. Aber diese Art von Durchblick war nichts, das einem im täglichen Leben weiterhalf.

Es sollte noch eine ganze Weile dauern, Jahrzehnte, bis sich unsere Sicht auf unsere Eltern änderte. Ich weiß nicht genau, wann es angefangen hat, ob vor der Geburt der Kinder oder erst danach, aber irgendwann beneideten wir sie. Wir beneideten sie um ihre Freizeit, die andauernden Reisen, die ständigen Unternehmungen, ihr abwechslungsreiches, *chilliges* Leben. Wie solide sie durchs Alter kamen. Sicher, da war die Revolution gewesen, dieser Bruch in ihrem Leben, der ihnen einiges abverlangt hatte. Aber im Grunde hielten wir diesen Bruch rückblickend für eine Verjüngungskur. Er hatte ihnen Schwung gebracht, sie herausgefordert, und schließlich profitierten sie von dem neuen System, auch wenn sie ihm ihr Leben lang kritisch gegenüberstehen würden. Dass ihre Geschichte, ihr früheres Leben im Kommunismus, nicht mehr wichtig war oder nur noch für Anekdoten im Familienkreis taugte, fanden wir als Preis dafür hinnehmbar. Ihr symbolisches Kapital war aufgefressen worden vom Lauf der Geschichte, na und? Wir würden auch keins haben. Wer glaubte denn noch an symbolisches Kapital, an Werte oder ein Wissen, das man weitergeben konnte, sodass eine zukünftige Gesellschaft Nutzen daraus zog?

Jede neue Generation spuckt auf die alte oder macht sich zumindest über sie lustig. Was offenbar nicht im Widerspruch steht zum Neid.

Während ich sofort nach Paris aufgebrochen war, um dich zu sehen, musstest du überredet werden, zu mir in den Süden, nach Montpellier, zu kommen. Ich rief dich an.

Komm her, sagte ich, hier scheint immer die Sonne.

Du bist tatsächlich gekommen. (Noch immer meine Ungläubigkeit.)

Wir fuhren ans Meer. Der Mistral blies. Der Wind war so stark, dass wir uns unter unsere Handtücher flüchteten. Beim Baden bekamen wir kaum Luft.

Am Abend lud uns jemand zu einem Rave in eine Strandbar ein. Einem Rave?, fragtest du halb amüsiert, halb trotzig, die sollen ihren Rave haben! Bekleidet mit einem Frotteebademantel und einem merkwürdig breiten Hut, der irgendwie chinesisch aussah, bist du mit gerecktem Kinn zwischen die Tanzenden marschiert. Sehr schnell, so empfand ich es später, kam es zu einem Streit. Vielleicht lag es an deiner Art, dieser demonstrativen Aufmüpfigkeit, der sich niemand entziehen konnte. Es gab ein Gerangel, ein paar Männer griffen nach dir. Irgendwann lagst du am Boden. Ich sah dein blutverschmiertes Gesicht. Wie betäubt hockte ich neben dir. Schließlich fuhr uns jemand mit dem Auto in die Stadt zurück, zum Krankenhaus.

Stärker als alles andere in jener Nacht sind mir die leuchtenden Buchstaben am Haupteingang der Klinik in Erinnerung: *Louis Pasteur*.

Vielleicht ist der Beginn allen Schreibens die Gewalt, gepaart mit Erregung und Schönheit. Noch in der derselben Nacht unternahm ich den Versuch, alles aufzuschreiben, was sich zugetragen hatte, aber da ich betrunken gewesen war, handelte es sich eher um diffuse Eindrücke als um den exakten Ablauf dessen, was wirklich geschehen war. In meinen Aufzeichnungen schaukelten die Lichterketten der Strandbar heftig, als stünde ich an Deck eines Schiffes, Wolkenfetzen am Nachthimmel, das Meer schäumte, der Boden schwankte wie ein Ponton, dazu ein Gefühl, als steckte ich bis zum Bauch im Sand etc.

Noch Jahre danach zitterte ich, wenn ich an den Vorfall zurückdachte. Gleichzeitig war ich der Meinung, er lasse sich in Gesprächen gut erzählen. Aber du wolltest das nicht, nicht mal am Rande hast du es erwähnt, und wenn du gemerkt hast, dass ich irgendwem davon erzählen wollte, hast du mich strafend angeschaut. So ist die Geschichte in mir und meinen Aufzeichnungen lange verborgen geblieben. Wie ein kostbarer Ring in einer Schatulle, den man nie trägt, von dem also niemand etwas weiß.

Vier oder fünf Tage warst du in der Klinik. Über stille Flure, als hätten auch die Kranken in diesem Sommer Urlaub, ging ich zu deinem Zimmer. Ich versuchte, bei deinem Anblick nicht erschrocken zu wirken. Über der Gipsmaske, die man dir wegen des gebrochenen Nasenbeins angelegt hatte, blickten deine Augen verärgert aus dem Fenster. Ich ließ das Rollo herunter, es blieb ein gestreifter Schatten an der Wand. Die Klimaanlage verströmte angenehme Kühle. Wir sprachen nicht viel. Hin und wieder steckte eine der Schwestern den Kopf zur Tür herein, um zu sehen, wie es dir ging. Was sie sah, waren zwei junge Leute, die schweigend dasaßen wie ein altes Paar, das sich nichts mehr zu sagen hat. In Wahrheit lag das Reden, alles, die Liebe, noch vor uns. Ich gierte danach, dass uns etwas verband. Der Vorfall, dein blutendes Gesicht, sagte mir, dass wir auf dem Weg zu einer gemeinsamen Geschichte waren.

Abgesehen von meinen Besuchen bei dir in der Klinik, war ich während dieser Tage allein. Wenn ich nach zwei, drei Stunden wieder vor die Tür des Krankenhauses trat, schien noch immer die Sonne. Zu Fuß lief ich über die leeren Straßen nach Hause. Als ich am zweiten Abend im Viertel La Paillade ins Kino ging, hatte ich Gewissensbisse. Als müsste ich aufhören, mich zu vergnügen, solange es dir schlecht ging. Ich nahm mir vor, dir den Film am nächsten Tag zu erzählen. Das schien mir eine Art Ausgleich zu sein, eine Wiedergutmachung.

Und noch etwas dachte ich, während ich den Film – es war »Flesh and Bone« – sah: So muss man etwas erzählen.

Im Verschweigen, im verzweifelten Verschweigen erzählt sich das Leben. Das Seltsame daran war: Ich war nicht verzweifelt. Du warst am Leben, ich saß Tag für Tag an deinem Krankenbett, und draußen war Sommer. Vielleicht beweist der Gedanke auch nur, dass die Kunst parallel zu den Biographien der Menschen verläuft. Zwar in Sichtweite zu ihnen, ist sie doch immer auf eigentümliche Weise zeitversetzt, führt sie ihr eigenes Leben.

Bei deiner Entlassung übergaben mir die Krankenschwestern einen Plastiksack mit dem zerrissenen Bademantel und dem T-Shirt, das du an dem Abend getragen hattest. Der Hut war nicht dabei. Du hast darauf bestanden, dass ich den Sack vor dem Krankenhaus in einen Mülleimer stopfte. Alles, was mit dieser Geschichte zu tun hatte, wolltest du loswerden.

Und du wolltest auf keinen Fall länger bleiben. Nicht in dieser Stadt, nicht mal in der Region. *Der verdammte Süden,* hast du gesagt, als wir schon am Bahnhof standen und auf den Zug nach Paris warteten. Später bist du eingeschlafen, den Kopf ans Fenster des Abteils gelehnt. Ich betrachtete dich. Im Schlaf lief dir ein dünner Streifen Blut aus der Nase. Ich weckte dich, und wir wechselten die kleine Mullkompresse, die mit Heftpflaster unter deiner Nase festgeklebt war.

Bislang waren wir nur verbunden gewesen durch die Liebe, jetzt waren wir es auch auf tragische Weise. In meinen Augen eine neue Stufe des Glücks.

Ich stelle mir zwei Türen vor. Auf der einen steht: *Die Liebe fängt an*. Und auf der anderen steht: *Hier hört die Liebe auf*. Durch eine Tür kommt man herein, und durch die andere geht man wieder hinaus. Wie bei einem Theaterstück. Wenn im Theater jemand eine Tür aufreißt oder eine Tür zuschmeißt, wackeln die Wände. Im Text heißt es dann immer nur knapp: *Geht ab.*

Ich frage mich, was mit unserer Geschichte passiert, wenn ich gehe. Wer wird sich darum kümmern, wenn es uns als Paar nicht mehr gibt? In meiner Vorstellung ist unsere Geschichte wie ein Kind. Wir tragen die Verantwortung für sie. Das hört sich komisch an, ich weiß. Ich wünschte, unsere Geschichte könnte auch ohne uns weiterexistieren. Aber solche Sachen sind nicht möglich, außer vielleicht im Traum.

Wir studierten noch immer. Inzwischen waren wir wieder nach Deutschland zurückgekehrt. Zu Hause, an der Universität, hielt man uns für Geschwister. Das kam mir wie ein Kompliment vor.

Ein Mädchen, mit dem ich dasselbe Seminar besuchte, sagte vorwurfsvoll: Ich erkenne dich überhaupt nicht mehr wieder.

Sehr gut, sagte ich. Ich erklärte ihr, dass ich genau das wollte. Ich wollte nicht mehr ich sein. Außerdem, sagte ich, was heißt das schon – ich! Findest du das wirklich erstrebenswert?

Ich ließ mir einen Anzug schneidern. Bald sahen wir aus wie Katherine Mansfield und John Middleton Murry,

Scott und Zelda Fitzgerald oder Bonnie und Clyde. Aber diese Vergleiche zog nur ich, und nur insgeheim.

Einmal tauchten wir an einem heißen Junitag so auf dem Campus auf: du mit einer schwarzen Kniehose, dazu ein weißes Hemd, dessen Ärmel bis über die Ellbogen hochgekrempelt waren, ich mit einem schwarzen Rock, zu dem ich ebenfalls ein weißes Hemd trug, mit Schlips. Erschrocken blickten uns die Studenten und Dozenten hinterher (es war noch immer die Zeit der Trainingsjacken und zerrissenen Jeans). Ich habe vergessen, worum es dabei ging, aber ich weiß, dass es mir gefiel. Ich genoss ihre Verunsicherung. Mir gefiel auch, dass du dich in den Blicken der anderen nicht gesonnt hast. Du verlorst kein Wort darüber. Du wolltest keine Erklärungen abgeben und auch niemanden ins Vertrauen ziehen. Du wolltest vielleicht, dass man sich den Kopf zerbrach über dich, aber ich glaube, auch das wäre schon zu viel Absicht gewesen.

Im Semester darauf hast du dir einen Schnurrbart wachsen lassen, schmal und schwarz, den Bart eines spanischen Adligen. Dann sahst du jemanden in der Vorlesung, der genau so einen Schnurrbart trug. Noch bevor die Vorlesung beendet war, bist du nach Hause gefahren und hast ihn abrasiert.

Du musstest es nicht aussprechen. Nie hast du etwas dazu gesagt, aber ich spürte, wie es dich befremdete, dass ich in einem Neubaugebiet lebte. Dass ich es *noch immer* tat. Das Leben in einem Hochhausblock war für dich eine unvorstellbare, absurde Welt.

Ich schämte mich. Inzwischen sah ich alles mit deinen Augen. Ich fand eine neue Wohnung, in einem alten, unsanierten Haus in der Innenstadt. Zwei winzige Zimmer unterm Dach, mit einem Ofen darin, die Dusche in der Küche. Es war, als wäre ich um ein paar Jahre in der Zeit zurückgefallen – um auf deiner Höhe zu landen. Ich strich die Wände moosgrün. Du halfst mir, aber nur widerwillig. Es stellte sich heraus, dass dir handwerkliche Arbeit verhasst war. Im Sommer davor hattest du eine Woche lang als Abrisshelfer gearbeitet und dir gleich am ersten Tag einen Nagel in den Fuß getreten.

Wie viele Beweise brauchst du noch, sagtest du gereizt. Das Streichen der Wand musste genügen, mehr würdest du nicht tun.

Deine einzige Lebensgrundlage schienen deine Einfälle zu sein, deine Geheimnistuerei, dein Charme.

Wir wohnten nicht zusammen, aber praktisch lief es darauf hinaus. Auch wenn du gekommen und gegangen bist, wann du wolltest. Als wäre ich deine Geliebte, und irgendwo gäbe es eine Ehefrau, die dich in Beschlag nahm. (Damals begeisterte mich diese Vorstellung.) In Wirklichkeit wolltest du immer nur zu Gast bei mir sein. Aber vielleicht war es auch *mein* Wunsch und wir hatten beide ganz einfach dasselbe gewollt.

Zu der Wohnung führte eine steile Stiege hinauf, und nachts lauschte ich auf deine Schritte. Einmal übergabst du dich nach dem Hereinkommen in mein Waschbecken. Du warst betrunken, was hin und wieder passierte. Lächelnd schöpfte ich dein Erbrochenes ins Klo. Dass du in diesem

Zustand bei mir aufgekreuzt bist, machte mir nichts aus. Schließlich warst du sogar im betrunkenen Zustand mein Retter: Ein paar Nächte zuvor war das Zimmer, in dem ich schlief, angefüllt gewesen mit blauem Gas. Du warst hereingestürmt, hattest das Fenster aufgerissen und mich wachgerüttelt.

Weißt du etwa nicht, wie man heizt?, hattest du entgeistert gefragt.

Dein Auftauchen war ganz klar ein Wink des Schicksals gewesen. Wofür sonst hätte ich es halten sollen?

Hin und wieder hast du mich zu deinen Freunden mitgenommen. Es waren Freunde von früher, als Kind warst du mit ihnen zur Schule gegangen. Die meisten hatten wegen der Arbeit eine Zeit lang woanders gelebt, in Bayern oder Baden-Württemberg, waren inzwischen aber wieder zurückgekehrt. Weil man es auf Dauer einfach nicht aushält im Westen, sagten sie.

Sie waren beständig in Feierlaune. Schon am Nachmittag genehmigten sie sich Bier, und mir gossen sie einen Gin-Tonic ein. Abends, wenn sie zu betrunken waren, um noch selbst zu fahren, überließen sie ihr Auto mir, und als ich in der Dunkelheit rückwärts auf einen Poller auffuhr, stiegen sie lachend aus und hoben es zu sechst in die Höhe. Einer von ihnen brannte mir mit seiner Zigarette ein Loch in den Schal, was ich ungerührt hinnahm, denn während er es tat, sagte er, ich würde trinken wie ein Bauarbeiter und reden wie Goethe, und so ein Kompliment hatte ich noch nie bekommen.

Obwohl sie keine Ahnung hatten von dem, was ich tat (und auch nicht wirklich von dem, was du tatest, den Eindruck hatte ich jedenfalls), keine Ahnung von meinem Studium, den vielen Büchern und den Gedanken, die ich mir darüber machte, fühlte ich mich ihnen zugehörig. Ihre herzliche Art, die Gemütlichkeit dieser Treffen erinnerten mich an Zusammenkünfte in meiner Kindheit, wenn meine Eltern an Silvester oder zu Geburtstagen Freunde eingeladen hatten. In diesen Stunden war mir das Leben leicht erschienen. Und jetzt, mit deinen Freunden, war es genauso: Verglichen mit meiner komplizierten, von Fragen belasteten Welt, war ihre wunderbar einfach. Das begriff ich. Aber was ich vor allem begriff, war, dass sich die Welten nicht berühren durften. Allerdings fragte ich mich, in einem verborgenen Winkel meiner Gedanken, welche anderen Welten es wohl für dich noch gab, neben diesen *Freunden*, neben mir.

Ich mochte die Tage nach den Trinkgelagen, lange Sonntage, an denen wir im Bett blieben, um auszunüchtern. Wir hörten Musik, schauten fern. Im Nachmittagsprogramm – draußen wurde es oft schon wieder dunkel – liefen Filme mit Bud Spencer und Terence Hill. In den Werbepausen schalteten wir auf stumm und lasen »Torquato Tasso«.

Einmal kroch ich nach einem Rausch lachend durchs Zimmer. Stundenlang, ich konnte einfach nicht aufhören damit. Ich lachte und hatte gleichzeitig Angst. Du brachtest mich zur Notaufnahme. Das Krankenhaus lag um die Ecke, und wir gingen zu Fuß. Selbst auf dem Weg lachte ich immerfort. Die Notärztin beäugte uns skeptisch. Ich trug ein Kleid mit einem großen weißen Kragen, du hattest einen dunkelblauen Zweireiher an. Ich hatte den Eindruck, sie hielt uns für Zeitreisende. Sie telefonierte mit einer Spezialklinik für Drogen und schilderte meine Symptome. Dann stach sie mir mehrere Kanülen in den Arm und nahm mir Blut ab. All das machte mir nichts aus.

Was mir etwas ausmachte, wovor mir wirklich graute, war der nächste Tag. Wenn du meine Wohnung verlassen und deiner Wege gehen würdest.

Ungefähr zu der Zeit muss das Foto entstanden sein. Ein Mann auf einem rostigen Gartenstuhl, er trägt einen Anzug. Schräg dahinter, stehend, eine Frau, auf dem Kopf ein Hütchen mit kurzer, fescher Krempe, dazu ein Mantel mit einem fellbesetzten Kragen, den sie mit einer Hand zusammenklammert. Ein sorgfältig inszeniertes Standbild, sepiafarben, als wäre es in den zwanziger Jahren des letzten Jahrhunderts aufgenommen worden.

Ich bedaure, dass es nicht mehr Bilder von uns aus jener Zeit gibt. Fotos von uns als Liebespaar.

Als ich es das erste Mal bedauerte, als es mir zum ersten Mal bewusst wurde, war es ein klarer, kalter Wintermorgen, viele Jahre später. Du hattest mir mit verschlossener Miene mitgeteilt, du würdest für ein paar Tage verreisen. Dann hast du die schwarze Ledertasche genommen und die Wohnung verlassen. (Wie man sieht, hattest auch du Lust gehabt zu gehen. Ich vermute es, ganz sicher war es so. Aber dies hier ist *meine* Erinnerung.)

Ich trug einen Bademantel und saß am Küchentisch, auf dem noch das Frühstücksgeschirr und ein Fläschchen mit Milch von einem der Kinder standen. Ich wollte dich zurückhalten. Aber wie? Wenn dich in der Gegenwart nichts hielt, dann hielt dich vielleicht die Vergangenheit. Das dachte ich. Das sagte ich mir. Ich begann, nach einem Foto von uns beiden zu suchen – *aus einer besseren Zeit*. Fieberhaft durchsuchte ich verschiedene Ordner und Dateien. Es gab Fotos, auf denen wir mit den Kindern zu sehen waren, ganze *Fotostrecken*, Familienselfies, auf denen unsere durch die Nahaufnahme aufgeblähten Gesichter Karikaturen ähnelten, sogar Bilder, die wir beim Fotografen hatten machen lassen, und einige davon füllten in einer Art Petersburger Hängung die Wände im Flur.

Es entsetzte mich, dass es dieses eine Foto, das Foto, das dich vielleicht noch abhalten konnte von deinem Plan, nicht gab. Als läge in seinem Fehlen, diesem *unentschuldbaren* Versäumnis, schon das Ende beschlossen. Es war logisch, dass du gegangen bist: Das nicht vorhandene Foto rechtfertigte deinen Entschluss.

Das Sepia-Standbild schien dem Ernst der Lage nicht angemessen. Es stammte aus einer Zeit der Verwandlung und des Spiels, die lange hinter uns lag. Zudem war es ein übergroßer Abzug, fast ein Plakat, das seit Jahren zusammengerollt in der Kammer vor sich hin dämmerte. Das einzige brauchbare Bild, das ich schließlich fand, in einem Karton mit Fotos, die ich noch mit einer Spiegelreflexkamera gemacht hatte, war eine seltsame Aufnahme an irgendeinem Quai in Paris. Wer hatte uns da fotografiert?

Mein Gesichtsausdruck war grimmig, deiner wie immer gelassen, und ich konnte mich beim besten Willen nicht erinnern, warum ich diesen Gesichtsausdruck gehabt hatte an jenem Tag.

Ich schrieb auf die Rückseite: *Erinnerst du dich?* Aber schon im selben Moment kam mir der Satz albern vor. Was sollte das heißen? Schließlich waren Erinnerungen etwas, das jeder hatte. Es geschieht einfach, früher oder später sind sie da.

Noch am selben Tag bist du zurückgekommen. Aber nicht wegen irgendeines Fotos, vielleicht nicht mal wegen mir. Du hast stumm deine Jacke ausgezogen, bist in die Küche gegangen und hast ein Glas Wasser getrunken. Als hätte dich jemand zu deiner Familie zurück*geprügelt*, dachte ich, wagte aber nicht, eine Frage zu stellen.

Früher, zu Beginn, in jener *besseren* Zeit, der Zeit der Wunder, hast du oft angerufen und mir ohne weiteren Kommentar den Titel eines Films genannt.

Im Arsenal läuft *Lola* von Fassbinder.

Ich fragte: Ist der gut?

Du sagtest fassungslos: Es ist ein Fassbinder!

Immer wieder sind wir ins Kino gegangen. Mir fällt ein, dass wir dort nie eng aneinandergekuschelt gesessen haben. Wir aßen und tranken auch nichts wie die meisten anderen Zuschauer im Saal. Die Askese, die intellektuelle Nüchternheit, berauschte uns.

Mir gefielen deine Unbarmherzigkeit, die strenge, unerbittliche Art, mit der du die Filme unserer Gegenwart auseinandergenommen hast, dein eiserner Wille gegenüber der Kunst. Zu der Zeit schwärmten viele für *schwarzhumorige* Filme. Gewalt wurde an Komik gekoppelt, und nach einer Weile berührte es einen nicht mehr so, wenn jemand auf der Leinwand aufgeschlitzt wurde. Das hat dich aufgebracht.

Du wurdest auch gereizt, wenn die Dramaturgie eines Films einzig und allein davon lebte, dass die Figuren nicht miteinander sprachen. Die hätten doch einfach nur miteinander reden müssen, brummtest du auf dem Nachhauseweg, dann hätte es nie einen Konflikt gegeben. Obwohl du selbst noch nicht dreißig warst, nahmst du keinen Autor ernst, der noch nicht dreißig war. Außerdem passte es dir nicht, wenn aus jedem Lebenskummer Kunst wurde: Als gäbe es nur Tragisches und Böses auf der Welt! All die Trottel in den Filmen, diese Lebensunfähigen, Idioten, die nichts auf die Reihe bekommen! Die Kunst muss doch Einspruch erheben gegen die Phrasen von der Unmöglichkeit der Liebe. Weltvertrauen statt Verhängnis, darum geht es!

Hingerissen lauschte ich deinen Ausführungen. Insgeheim hielt ich sie für Ansprachen an mich. Was du sagtest, bedeutete: Für Seelenqualen hattest du nur Abscheu übrig. Was wiederum hieß: Wir würden immer zusammenbleiben.

Ich sah es ganz klar: Unsere Liebe fing dort an, wo die Filme aufhörten. Wir waren das Paar, über das die Filme schwiegen. Wir wollten einen anderen Film sehen, ein anderes Buch lesen. Aber diesen Film, dieses Buch gab es noch nicht.

Manchmal fuhrst du dir wie Jean-Paul Belmondo mit dem Daumen über die Lippen und sagtest zu mir: Je te propose d'être avec moi. Aber du sagtest es mit einem osteuropäischen Akzent, wie ein Ungar oder Tscheche.

Ein anderer Satz von dir war: Die kriegen uns nicht.

Es heißt, die Unglücklichen seien besonders, Glück mache die Menschen gewöhnlich. Mir kommt es so vor, als wäre es damals umgekehrt gewesen. Gewöhnlich, das waren die Unglücklichen. Trübsal war *in*. Und genauso war es *in*, die Liebe als etwas Vergebliches zu betrachten, sich im Schmerz zu suhlen, *abzustürzen*. Alle Welt schien mit Trennungen beschäftigt. Um uns herum ein Panoptikum problematischer Beziehungen. Wenn uns Freunde von Streitigkeiten und Trennungen erzählten, von ihren Seelenqualen, stöhnten wir innerlich auf. Das Hin und Her der Emotionen hielten wir für vergeudete Zeit. Es langweilte uns. Jedenfalls machte uns das Thema nicht gesprächig. Nur Idioten denken, die Liebe ist kompliziert, sagtest du hinterher. Glauben sie ernsthaft, Trennung ist eine Lösung? Sich dauernd zu trennen und wieder zu verlieben ist, als sähe man Hunderte Filmanfänge, aber keinen Film zu Ende.

Später, im Rückblick, habe ich diese Äußerungen wie so vieles andere als Täuschungsmanöver gedeutet, als eine Hinhaltetaktik, die mich in Sicherheit wiegen, mich ablenken sollte von deinen *Machenschaften*. Aber damals sah ich es anders. Damals beruhigte mich deine Haltung. Sie beruhigte mich ungemein. Ich vermute, so ganz konnte ich es immer noch nicht fassen, dass ich dich getroffen hatte. Du und ich – das Liebespaar des Jahrhunderts!

Heute wünschte ich, Erzählen würde nicht automatisch bedeuten, alles liegt in der Vergangenheit.

Einen Winter und einen Sommer lang versuchten wir, bei dem Bäcker an der Ecke gegenüber Stammkunden zu werden. Jeden Morgen bestellten wir dasselbe, zwei Becher Kaffee, und trotzdem fragte uns die Angestellte jedes Mal mit stoischem Gesichtsausdruck, was wir wünschten. In ihren Augen betraten wir das Geschäft immer zum ersten Mal. Dafür hasste ich sie. Ich betrachtete jeden als Feind, der unsere Absicht, etwas Mythisches zu werden, durchkreuzte. Selbst wenn der Mythos bloß darin bestand, das Paar zu sein, das jeden Morgen dieselbe Portion Kaffee bestellte. Mit ihrer Ignoranz gefährdete sie unser Projekt. Von der Liebe verstand diese Frau offenbar nicht das Geringste.

Ich könnte so viele Details erzählen. Aber wieso sollte meine Erinnerung auch nur im Entferntesten zutreffen? Vielleicht ist das Traumpaar, das ich aus uns gemacht habe, ja nur ein erzählerischer Trick, um uns durchs Leben zu bringen. Nein: um *mich* durchs Leben zu bringen.

Das Jahrhundert war noch immer nicht zu Ende. Wir gingen wieder ins Ausland, diesmal in die andere Himmelsrichtung. Osteuropa, Bukarest, versetzte uns in die Welt unserer Kindheit zurück, eine Welt des Mangels und der

Mühsal. Man brauchte Stunden, um eine Zugfahrkarte zu kaufen, plagte sich auf Ämtern herum und ertrug die Schikanen unfreundlicher Verkäuferinnen. Auch wenn die Diktatur abgeschafft war, war sie noch immer zu spüren. So was bleibt länger, als man denkt. Es steckt in den Menschen drin, und insgeheim fragten wir uns, ob unsere eigene Vergangenheit auch noch in uns steckte und wie lange sie dort bliebe. Nur manchmal, im Cişmigiu, dem schön angelegten Stadtpark, oder wenn wir in der hell erleuchteten Unterführung der Universität einen Apfelstrudel aßen, vergaßen wir die Trostlosigkeit, die noch vor ein paar Jahren hier und an anderen Orten des Ostblocks geherrscht hatte.

Das Stipendium, das in Deutschland kaum gereicht hätte – dort ermöglichte es uns das Leben reicher Leute. Wir kauften Logentickets für die Oper und gingen schon nach einer halben Stunde wieder, zu Mittag speisten wir im Institut Français, im Zug reisten wir Erster Klasse. Wir wechselten die Seiten. Hier, im Osten, wurden wir zu Westeuropäern. Genau wie die Westeuropäer ein paar Jahre zuvor in Ostberlin durchfuhr uns häufig der Gedanke: Wie schön das alles hier sein könnte, wenn die Leute nur mehr Initiative zeigen würden! Wir schämten uns dafür. Laut sagten wir, besser, es bleibt so hässlich. Hässlich heißt, es hat Charakter.

Bei Partys war es abgemacht, dass wir für den Getränkenachschub sorgten. Einmal fielst du in der Dunkelheit mit einem Beutel voller Flaschen, die du an einem Kiosk gekauft hattest, in ein Bauloch. Die Gäste lauerten auf dein

Kommen. Man wunderte sich, warum du so lange weg warst. Ich machte mir Sorgen. Niemand fragte bei deiner Ankunft, woher die Schnittwunden stammten, die nasse Hose. Ohne jede Erklärung übergabst du der Runde die Flaschen, die du ein zweites Mal gekauft hattest.

Wir tranken Unmengen an Alkohol. Wir tranken Bier und Wodka aus Tetrapacks, Wein aus Kanistern. Im Sommer ließen wir uns auf den Terrassen der Cafés riesige Martinis bringen. Als ich mich auf dem Gelände der Polytechnischen Hochschule, wo wir einen Sprachkurs belegt hatten, eine halbe Stunde lang heftig übergab, hast du mit einer Hand meine Haare gehalten. In der anderen hieltest du rote Pompon-Dahlien. Sie waren für die Lehrerin gedacht (eine Entschuldigung dafür, dass wir den Kurs schon nach zwei Monaten wieder verließen).

Auf gewisse Weise knüpften wir an alte Erfahrungen an. Wir wussten, wie die Dinge in einer Gesellschaft voller Einschränkungen zu nehmen waren. Es fiel uns leicht, Worte oder Handlungen einzuschätzen, selbst das, was nicht gesagt oder nicht getan wurde. Die Codes waren uns vertraut. Es war, als hätte der Bruch, durch den die Welt unserer Kindheit ein abruptes Ende gefunden hatte, nicht stattgefunden. Für eine begrenzte Zeit führten wir das Leben, das uns bestimmt gewesen wäre, hätte die Geschichte einen anderen Verlauf genommen.

Dank der Umständlichkeit des Alltags mit all den nervtötenden Abläufen, denen man ständig ausgesetzt war, erlebten wir wieder richtige *Abenteuer*.

Wir machten Ausflüge nach Siebenbürgen, in den Norden, ins Donaudelta. Langsam rollte der Zug dem Meer entgegen, am Kanal entlang. Es gab noch immer Strafarbeiter an der Strecke. Die Leute im Zug warfen Zigarettenpäckchen und Schokolade aus den geöffneten Fenstern. Als eine dunkelhäutige Frau, die durch die Waggons streifte, mir aus der Hand lesen wollte, ballte ich sie zur Faust. Ich hatte Angst, sie würde etwas über mich und dich herausfinden. Etwas, das in der Zukunft lag und sich nicht ändern ließ. Um sie zu beschwichtigen, kaufte ich ihr ein Tütchen Sonnenblumenkerne ab.

Einmal sprangen wir mitten in der Landschaft aus einem fahrenden Zug. Du schlugst mit dem Koffer hart auf den Boden. Ich war zuerst gesprungen und half dir auf.

Zwischen den Ruinen der einstigen römischen Kolonie in der Nähe von Constanţa lagen unzählige Kabelrollen im Sand, die sich bei genauerer Betrachtung als Schlangen erwiesen.

An Silvester fuhren wir in die Karpaten. Jemand hatte uns von einer Berghütte erzählt, in der gefeiert werde. Als Wegbeschreibung dienten uns ein Pfad und eine Schneise, die sich nach ein paar Kilometern rechterhand zwischen den Bäumen auftun sollte. Zwei oder drei Stunden stiegen wir durch hohen Schnee Richtung Gipfel. Es begann schon zu dämmern. Wir hatten nur ein paar Kekse dabei, auch an eine Karte hatten wir nicht gedacht. Wie durch ein Wunder gelangten wir tatsächlich zu der Hütte, und am nächsten Tag rutschten wir beinahe den ganzen Weg auf einer Mülltüte Richtung Tal zurück. Der Zug nach Bukarest war gerade abgefahren, und wir mussten bis zum Abend in dem eiskalten Bahnhofshäuschen warten. Ich fror, und du hast mich in den Arm genommen, obwohl du selber gefroren hast.

Beim Nachhausekommen stand in unserem Schlafzimmer kniehoch das Wasser. Das Heizungsventil ist geplatzt, sagtest du, aber wir gingen trotzdem ins Bett, und dann lagen wir da, wie auf einem Rettungsfloß, zwei Liebende in einem Jahrhundertschlaf.

Nachts zogen Rudel herrenloser Hunde durch die Straßen unseres Viertels.

Sobald man das Licht im Flur einschaltete, huschten unzählige Insekten hinter die Wände zurück. Wir nannten sie wie die Einwohner der Stadt nur »große Käfer«.

Im Frühjahr wurde bei uns eingebrochen. Wir kamen aus der städtischen Kunsthalle, als ein riesiges Loch in der Wohnungstür klaffte, etc.

Wir haben diese Dinge oft erzählt. Wie alte Menschen, die sich in immer denselben Erinnerungsschleifen durch die Zeit bewegen. Dann haben wir weniger davon erzählt. Es war uns peinlich, die Unbill jener Welt wie etwas Kostbares zu preisen. Als wären Erfahrungen nur um den Preis von Entbehrungen zu haben. Mit der Zeit verschwand das Abenteuerliche aus unseren Schilderungen, und man musste sich fragen lassen, was um Himmels willen man in dieser grässlichen Gegend der Welt gewollt hatte.

Zwanzig Jahre später bin ich noch einmal dort gewesen. Es war während einer Tagung, und ich setzte mich einen Nachmittag lang von den anderen Teilnehmern ab und ging zu dem Haus, in dem wir gewohnt hatten. Es war ein großes altes Mietshaus, nicht besonders schön, aber es hatte Erker, und die Zimmer waren alle hell, und wenn man sich aus dem Fenster beugte, konnte man den Palast des ehemaligen Diktators sehen. Auf der gegenüberliegenden Straßenseite hatte sich ein Geschäft befunden, in dem es Käse zu kaufen gab, aber nicht eine Auswahl, sondern eine *Sorte*, eine einzige Sorte Käse. Jetzt befand sich ein vegetarisches Restaurant darin. Draußen waren Tische aufgestellt, an denen Männer in Anzügen und Frauen in weißen Blusen ihren Lunch aßen.

Ich schaute zu unserer Wohnung hinauf. Trotz der unheimlichen Insekten in den Scheuerleisten, trotz des Heizungsschadens und des Einbruchs hatten wir gern dort gelebt, wir hatten uns Nudeln mit Petersilie und kleinen Würstchen gekocht, danach eine Partie gewürfelt, und nachmittags hatte ich an einem winzigen Tisch am Fenster gesessen und versucht, einen *richtigen* Artikel für eine *richtige* Zeitschrift zu schreiben.

Ich rief dich an und sagte: Stell dir vor, ich stehe vor unserem Haus, und du sagtest: Ja?, und dann ging ich rein und stieg die Treppe bis in den dritten Stock hinauf. Die Wohnungstür war glänzend weiß, mit einem Sicherheitsschloss davor. Eine Weile blieb ich dort stehen. Es war ganz still im Treppenhaus, und ich empfand eine Art Trauer um die Menschen, die du und ich einmal gewesen waren, fast so, als lebten diese Menschen nicht mehr.

Ich fand es immer bemerkenswert, dass es ein Leichtes ist, Dinge zu zerbrechen, eine Tasse oder einen Stock, aber ungleich schwieriger, ja in den meisten Fällen sogar unmöglich, sie wieder zusammenzufügen. Um diese auf den ersten Blick banale Erkenntnis ganz zu erfassen, muss man sich nur die gegenteilige Welt vor Augen führen: eine Welt, in der es unendlich schwierig wäre, etwas zu zerschlagen, aber sehr leicht, es ohne Verluste wieder zusammenzusetzen. In der man beständig reparieren würde, ohne dass Spuren oder Narben blieben, ja ohne dass man etwas von der einstigen Zerstörung sähe – danach.

Gäbe es in so einer Welt, einer Welt ohne Zerstörung, überhaupt ein Danach?

Es konnte nicht ewig so weitergehen.

Das unsanierte Haus, in dem ich zwischen moosgrünen Wänden gewohnt hatte, war mittlerweile von einem Investor gekauft worden und wurde saniert. Ich fand eine andere Wohnung, noch kleiner, aber bereits modernisiert. Der Schritt ins einundzwanzigste Jahrhundert war geglückt.

Inzwischen hatten wir das Studium fast beendet. Wir würden uns eine Arbeit suchen müssen. Das kam mir vor wie Schauspielerei. Das Gerede über den Ernst des Lebens fand ich lächerlich. Ich wollte, dass wir in den Tag hineinleben, dass du bei mir im Bett bleibst oder wenigstens in der Wohnung, im Zimmer nebenan. Aber es gab kein Zimmer nebenan. Noch auf der Schwelle versuchte ich, dich zu einem späten Frühstück zu überreden, das wir manchmal in einem Café in der Nähe aßen, zu einem Gespräch, einer Partie Halma. Halb schuldbewusst verschwandst du noch mal im Badezimmer und schließlich aus der Wohnung, es war schon fast Mittag. Missmutig setzte ich mich an den Schreibtisch. Ich schrieb rasch meine Abschlussarbeit, fast beiläufig schrieb ich sie. (Nie habe ich Probleme gehabt, meine Pflichten zu erledigen.) Ich belohnte mich mit dem Gedanken, dass wir uns am Abend wiedersehen würden.

Was nicht mehr ganz sicher zu sein schien.

Dass du eine Arbeit, irgendeinen Beruf anstrebtest, womöglich sogar auf einer unbefristeten Stelle, irritierte mich. Es passte mir nicht, wie viel Zeit du darauf verwendet hast. Als würde das ein unausgesprochenes Abkommen zwischen uns verletzen. Morgens aus dem Haus zu gehen, sich abends wieder einzufinden, dem anderen von seinem Tag zu erzählen – dieser Ablauf kam mir vor wie das Leben in einer Dreiecksbeziehung.

Nur widerwillig nahm ich eine Praktikantenstelle in einem Verlag an. Die anderen Praktikanten und Volontäre, die bis in den späten Abend hinein in ihren Büros saßen, wunderten sich, wenn ich bereits um 16 Uhr wieder ging. Wollte ich nicht übernommen werden?

Kurz darauf bot man mir eine Stelle an der Universität an. Es war eine Halbtagsstelle. Darüber war ich froh. Nie im Leben hätte ich akzeptiert, mehr Zeit mit einer Arbeit als mit dir zu verbringen. Wenn mich die Professorin, für die ich arbeitete, zu sehr beanspruchte, wurde ich wütend. Die Aufgaben, die ich für sie erledigen musste, langweilten mich. Nein, ich sah keinen Sinn darin. Sie waren mir lästig: Sie hatten nichts mit dir zu tun.

Ich gab mir keine Mühe, mich in dem Büro einzurichten, das man mir zugewiesen hatte. Ich stellte weder Bücher noch Pflanzen auf. Einmal blieb eine Studentin, die in meine Sprechstunde kam, erschrocken in der Tür stehen. Mein Gott, das ist ja trostlos!, sagte sie und schlug sich die Hand vor den Mund. Wie ertappt hängte ich am nächsten Tag ein Poster auf, einen Schwarm Quallen auf schwarzem Grund. Es stammte von einer Ausstellung über den Naturforscher Ernst Haeckel, die du und ich besucht hatten.

Hin und wieder nutzte ich die Zeit im Büro, um an dem kastigen, laut summenden Computer nach Reisezielen in Italien zu suchen. Das Internet existierte erst seit Kurzem. Es war noch nicht das unerschöpfliche Buch, zu dem es in den Jahren darauf werden würde, und ich landete immer wieder auf denselben Seiten.

Arbeit betrachtete ich als ein Provisorium. Es war ein Zeitvertreib, angesiedelt am äußersten Rand der Aufmerksamkeit, die nur uns beiden galt. Immerhin konnte ich dank der Halbtagsstelle in den Restaurants weiter unsere Rechnungen übernehmen. Ich lud dich in Bars ein und bezahlte eine Reise nach Nizza. Ich war stolz, ich konnte dir etwas bieten.

Aber irgendwann war es vorbei. Ich beschloss, die Doktorarbeit, für die ich bereits zwei Jahre lang Material gesammelt hatte, nicht zu schreiben. (Das Thema: Das Konzept der Seele in der neuesten Gegenwartsliteratur.) Ich packte die wenigen Habseligkeiten, Bücher, Ordner und einen sperrigen Wandkalender, in eine große Einkaufstasche, hinterließ den Schlüssel im Sekretariat und fuhr mit dem Bus nach Hause. Es kam mir logisch vor, alles aufzugeben für dich.

Wenn ich von da an zu Hause in meinem Zimmer saß, sah ich den Schneeflocken beim Fallen zu. Ich schlief gut. Manchmal schlief ich elf oder zwölf Stunden lang.

Ich schrieb Gutachten für Verlage, und manchmal übersetzte ich dann die Bücher, die ich begutachtet hatte. Ich ging einkaufen, ins Kino, ich bewarb mich für Stipendienprogramme und fuhr zu Vorträgen, bei denen Übersetzungstheorien diskutiert wurden.

Du riefst an: Was machst du?

Ich sagte: Ich arbeite.

Du wurdest fast böse. Sag bitte nicht »arbeiten«, wenn du schreibst.

Du kanntest mich. Ich hatte tatsächlich angefangen zu schreiben. Geschichten, vielleicht sogar einen Roman. Aber das Schreiben geschah gleichsam auf der Rückseite unserer Liebe. Es fiel mir schwer, darüber zu *sprechen*. Schreiben war eine geheime Realität für mich. Wenn man sie erwähnte, wenn man zugab, dass man in ihr lebte, dachte ich, wäre es mit dem Zauber womöglich vorbei.

Vielleicht kam es mir auch bedeutsamer vor, wenn ich es heimlich tat. Als wollte ich nichts zu früh verraten, um die Welt eines Tages zu überraschen. Die Welt, das hieß: dich. Allerdings war ich mir nicht mehr so sicher, ob du den Enthusiasmus, was uns betraf, noch teiltest.

Was in Wahrheit vielleicht hieß: Ich wusste nicht, ob ich es selbst noch tat.

Aber solche Gedanken habe ich immer rasch abgetan. Die Liebe hat nicht nur mit Liebe zu tun. Es braucht eine Menge anderer Dinge, damit sie entsteht und wächst und bleibt. Großmut zum Beispiel, Sturheit und Vorsicht. Vor allem das. Man muss vorsichtig sein. *Wenn man etwas ausspricht, ist es auch in der Welt.*

Und wer weiß, vielleicht konnte es ja doch immer so weitergehen?

Eines Tages, es war im Frühjahr, das neue Jahrtausend hatte gerade begonnen, gingen wir ins Casino. Wir spielten Roulette. Wir taten es aus Spaß. Wie fast alle Neulinge gewannen wir eine ziemliche Menge Geld. Wenn ich später daran zurückdachte, hatte ich immer den Eindruck, wir hätten die gewonnenen Geldscheine vor Begeisterung in die Luft geworfen, hätten uns darin gebadet. Selbst die Croupiers schienen beeindruckt von unserem Glück.

Weil wir so viel gewonnen hatten, wurde aus dem Spaß Ernst. Wir gingen regelmäßiger hin. Wir fingen an, uns für bestimmte Zahlen und Strategien zu interessieren. Fast mehr als über einen Gewinn freuten wir uns, wenn sich die Regeln, die wir aufstellten, unsere Prognosen!, als richtig erwiesen. Man durfte nicht wild spielen, nicht kopflos. Man musste genau beobachten, musste *mit der Bank spielen*, innerlich wach bleiben. Das sagten wir uns. Wir betraten die Welt der Mystik und der Spekulationen (die Croupiers im Auge behalten, bestimmten Mitspielern – den

»Coolern« – misstrauen, die eigenen Zahlenreihen »erkennen« etc.).

Wie ich es liebte, den Raum mit den Roulettetischen zu betreten! Ich liebe es noch immer: die gedämpfte Atmosphäre, das Flüstern und leise Rascheln, das nervöse Klacken der Jetons und den Moment, wenn der Croupier laut und deutlich die Zahl verkündet, die soeben gefallen ist. Dort zu sein war aufregend und beruhigend zugleich. Wir standen lange am Tisch, wir wechselten kurze Sätze, warfen uns verschwörerische Blicke zu, aber oft spielten wir auch nicht, wir saßen bloß dort, an der Bar, und tranken etwas, und währenddessen sahen wir den anderen Spielern zu. Wie unterschiedlich sie waren, und trotzdem waren alle durchdrungen von derselben verhaltenen Fiebrigkeit. Ich fühlte mich ihnen verbunden, wie ich mich selten Menschen verbunden gefühlt habe, ich verstand ihre sinnlose Hoffnung, den Glauben, dass genau heute, an diesem Abend, etwas Großartiges geschehen werde.

Später bin ich oft in andere Casinos gegangen, in anderen Städten, allein, und jedes Mal hatte es diese beruhigende Wirkung auf mich, aber es war nie mehr so wie ganz zu Beginn, mit dir.

Du bliebst morgens wieder länger. Wir besprachen, wie wir am Abend vorgehen würden. Wir waren elektrisiert. Wenn du dann vor meiner Tür standst, dachte ich: Die Liebe funktioniert. In unserer Spielleidenschaft sah ich einen neuerlichen Beweis dafür. Es ging nicht um das kurze Glück. Es ging um das Glück der Dauer. Das Roulette selbst lieferte den Beweis. Warum? Bestimmte Gesetzmäßigkeiten zeigen sich erst, wenn man lange genug dableibt. Zum Beispiel: Erst wenn man lange genug spielt, kann man erkennen, dass es keine Zahl gibt, die häufiger kommt als andere. Vielleicht einen Abend lang, eine Woche oder zwei, ja, aber besieht man sich *sämtliche* Spiele, kommen alle Zahlen gleich häufig vor. Man muss nur lange genug dableiben.

Die Frage war nur: *wie* lange.

Einmal, auf dem Weg zur Spielbank, im Auto, sah ich dich von der Seite an. In der Dunkelheit wirkte dein Haar bereits grau. Mir kam der Gedanke, dass ich dich unbedingt, um jeden Preis, sterben sehen wollte. Später, wenn es so weit wäre. Es war kein höhnischer Gedanke. Ich wollte nicht den Sieg davontragen. Ich wollte einfach *dabei sein*, erst dann wäre wirklich Schluss. Sich vorher zu trennen kam mir unsinnig vor. Wozu das Ganze, all die Gedanken und Gefühle, die man *investiert* hatte, wenn man nicht das Finale erlebt? Nein, in keinem Fall durfte man eine Geschichte zu früh abbrechen. Genau wie beim Roulette ist der Zeitpunkt entscheidend, das Timing. Das sagte ich mir. Zwei-, dreimal hatten wir den Fehler begangen, beim Gehen noch einen letzten Blick auf die Anzeigetafel zu werfen. Und da kamen sie plötzlich, sämtliche Zahlen, auf die wir den Abend lang gesetzt hatten (die Zero, die 26, die 3) und die, solange wir am Tisch gestanden hatten, zu keiner Zeit gefallen waren.

In den Jahren danach, als wir nicht mehr spielten, fand ich manchmal noch eine alte Eintrittskarte, in einer Jackentasche, zwischen Manuskriptzetteln, in irgendeinem Karton. Hunderte von Tickets, die bezeugen, dass wir Abend für Abend dort gestanden hatten, in der Friedlichkeit eines Raumes ohne Uhren und Fenster. Konzentriert, vertieft in ein gemeinsames Projekt, irgendwas. Hier jedenfalls, an diesem Ort, *würden sie uns nicht kriegen.*

Ein Film, der damals monatelang als Videokassette ganz oben auf dem Stapel neben meinem Bett gelegen hat: »Getaway«, mit Steve McQueen und Ali MacGraw. Ich mochte dieses Paar, das mit einer Reisetasche voller Geld auf der Flucht ist, und obwohl wir, du und ich, vollkommen frei waren, dachte ich jedes Mal, wenn ich den Film gesehen hatte: Das da sind wir. Vielleicht braucht es ja keinen Gangsterboss, keine menschlichen Verfolger – denke ich jetzt –, um das Gefühl zu haben, dass man vor irgendetwas davonläuft.

Es ist mir immer natürlich vorgekommen, dass mein Lebensplan ausschließlich der Liebe gehorchte. Alles, was ich tat oder unterließ, geschah in Abhängigkeit von dir.

Wie konnte es dazu kommen, dass ich darüber irgendwann die Nase rümpfte? Dass ich dachte, so zu denken sei verachtenswert? Ja, wann fängt es an? Das frage ich mich. Wann hat mich der Gedanke an eine andere Möglichkeit, an die Möglichkeit, dich zu verlassen, das erste Mal durchzuckt? Es ist nämlich ein Durchzucken. Es durchzuckt einen, bis aus einzelnen Splittern ein Dauerblitz wird. Bis es schließlich ganz leicht ist, an Trennung zu denken.

Was heißt: Bis man nicht mehr glaubt, daran zerbrechen zu müssen.

Oft bist du spätnachts bei mir aufgetaucht, nachdem du mit irgendwem unterwegs gewesen warst. Deine Wohnung lag außerhalb der Stadt, und du wolltest nicht betrunken Auto fahren. (Dass du in diesen Nächten nicht trinken würdest, schien ausgeschlossen.) Du riefst an und hast höflich gefragt, ob du später noch vorbeikommen könntest. Manchmal ging ich selbst auch aus, mit einer Freundin, ein paar Bekannten, aber ich war immer vor dir da. Ich legte mich schlafen, und jedes Mal wachte ich auf, kurz bevor du den Schlüssel ins Schloss gesteckt hast. Draußen war es finster, und ich hörte das leise Brummen des Fahrstuhls, der bis in die obere Etage, zu mir, heraufgefahren kam, hörte, wie die schwere Glastür im Etagenflur aufging.

Aber dann, es war im Herbst, wurde ich einmal wach, und du warst nicht da. Ich stand auf, und da sah ich, dass ein rötliches Morgenlicht über den Dächern der Häuser gegenüber lag. Kalt und klar und schön. Der Tag hatte begonnen. Aber du warst immer noch nicht da.

Es hatte etwas mit diesem Licht zu tun, das über die Dächer kam. Als ich es sah, sagte ich mir: Vielleicht darf man die Liebe nicht überstrapazieren. Irgendwann ist es genug. Manche Menschen gehen, wenn es langweilig wird, andere brauchen nicht mal einen Grund, es ist wie ein Zwang. Sie müssen einfach gehen. Mir schien, es war ein vernünftiger, ein überaus vernünftiger Gedanke.

Gibt es eine Chronologie dieser Geschichte, und wenn ja, ist es die eines allmählichen Verlustes oder die einer Befreiung? Je mehr ich voranschreite, je länger diese Geschichte dauert, desto mehr verflechten sich die Dinge zu einem einzigen dichten Gewebe. Einer Landschaft ohne Grenzen, in der ich herumgehe, verzweifelt, berauscht, die Herrscherin über die Wälder der Erinnerung.

In einem seiner Bücher beschreibt Stendhal, was passiert, wenn die Liebe entsteht. Man wirft einen entblätterten Zweig in eine Salzgrube, und nach wenigen Wochen ist er mit funkelnden Kristallen bedeckt. Die Kristallisation soll die Fähigkeit des Geistes veranschaulichen, in dem geliebten Menschen immer neue Vorzüge zu entdecken. Schon als ich zum ersten Mal davon las, es ist viele Jahre her, kam mir die Erklärung seltsam vor. Seltsam *unverständlich*. Ist es nicht vielmehr so: Was sich über die Zeit anreichert, sind nicht die Kristalle der Liebe. Es sind die Kristalle der Ernüchterung.

Ich habe einen Wimpernschlag gebraucht, mich in dich zu verlieben, und dreißig Jahre, um Gründe dagegen zu sammeln.

Andererseits verstehe ich Stendhal. Im neunzehnten Jahrhundert haben die meisten Liebenden nicht sonderlich viel Zeit miteinander verbracht. Stendhal selbst war immerfort unterwegs, er reiste durch Europa, nahm an Feldzügen teil, arbeitete mal hier, mal dort. Er hatte keine Ahnung, was es hieß: ein gemeinsames Leben zweier Liebender. Die Frau, die er liebte, starb, sechs Jahre nachdem sie sich kennengelernt hatten.

Gelegentlich ziehe ich auch noch eine andere Möglichkeit in Betracht als die, dass die Zeit mir den Schleier von den Augen gezogen hat, was dich betrifft. Vielleicht hat das Zusammenleben *mit mir* dich zu jemandem gemacht, der mir *allmählich* unerträglich geworden ist. Als wärst du eine Kreatur, die eine Wissenschaftlerin, eine Erfinderin erschaffen hat und vor der sie schließlich wegläuft wie vor sich selbst.

Aber solche Gedanken sind müßig.

Ich suche nicht nach Schuld.

Ich glaube, ich suche nicht mal nach der Erklärung dessen, was vor sich gegangen ist.

Mir fällt ein, dass ich ganz zu Beginn, als ich anfing zu schreiben, in *meinen jungen Jahren*, dachte, Schreiben werde Licht ins Dunkel bringen. Ich dachte, dass es zu irgendeiner Art von Erkenntnis führt. Inzwischen gehe ich davon aus, dass es dem, der schreibt, nur deutlicher vor Augen stellt, was das Ungreifbare ist. Es bringt einem das Unbekannte nur klarer zu Bewusstsein.

Ein Unterschied.

Es gefällt mir nicht, genau zu sein, aber ich will genau sein. Ich muss es. Einmal, nach ein paar Jahren, die wir zusammen waren (es waren noch nicht sehr viele), habe ich einen anderen Mann geküsst. Es war, als küsste ich dich, durch ihn hindurch. Einige Zeit später habe ich mit einem anderen Mann geschlafen. Ich erzählte es dir. Es stellte sich heraus, dass dir dasselbe passiert war. Wir mussten lachen. Es war aufregend, sich davon zu erzählen. Als sähen wir uns gegenseitig beim Liebemachen zu.

Dann haben wir nicht mehr gelacht, wenn es geschah.

Wir hörten auf, uns solche Sachen zu erzählen.

Natürlich sind die meisten Beteuerungen falsch. Es ist falsch, wenn gesagt wird, dieses und jenes habe nichts zu bedeuten. Das stimmt nicht. Es bedeutet immer etwas. Nur manchmal etwas anderes, als man glaubt.

Später habe ich oft gedacht, wie ungeschickt man anfangs darin ist, seinen Verrat zu verbergen. Ich wunderte mich. Selbst Betrügen war also etwas, bei dem man noch etwas lernen konnte. Selbst im Verschweigen kann man besser werden, *immer noch besser.*

Das habe ich gedacht, und so denke ich vielleicht jetzt noch.

Als wollten wir das Alleinsein trainieren, fuhren wir immer häufiger ohne den anderen weg. Musste man als erwachsener Mensch nicht auf einem eigenen Leben bestehen, sich seine Unabhängigkeit bewahren?

Während ich irgendwo an einem Meer auf und ab lief, dachte ich an den Zug, der mich bald zu dir zurückbringen würde. Mit einem geliehenen Fahrrad fuhr ich im Sturm eine Küste entlang bis zum Leuchtturm. Ich sammelte riesige graue Muscheln, ich las Bücher, die ich in einer kleinen Buchhandlung kaufte und anschließend an den Straßenrand stellte. Wenn ich abends eine Dorfstraße entlangging, waren die Rollläden an den Fenstern der niedrigen Häuser alle schon heruntergezogen.

Es wurde selbstverständlicher. Man fand Gefallen daran, zu Tagungen, Forschungsaufenthalten oder Stipendien im

Ausland zu fahren, ein Wochenende mit einem Freund oder einer Freundin zu verbringen.

Oder liefen wir in Wahrheit längst voreinander davon, auf eine gesittete und zugleich heimtückische Weise? Als spähten wir die Wirklichkeit danach aus, ob es noch andere Varianten für uns gab. Etwas, das wir bislang übersehen hatten.

Trotz der äußeren Geordnetheit, mit der unser Leben verlief, beschlich mich in stillen Momenten der Eindruck, wir würden uns *verzetteln*.

Wenn ich über diesen Punkt unserer Geschichte nachdenke, den Punkt, an dem die Lust an der Zerstörung aufkeimt und die Liebe, einer rätselhaften Ordnung folgend, schwächer zu werden beginnt, fallen mir jedes Mal zwei Zeilen eines Gedichts ein. Das Gedicht heißt »One Art« und stammt von der amerikanischen Dichterin Elizabeth E. Bishop.

> *The art of losing's not too hard to master*
> *though it may look like (*Write *it!) like disaster.*

(Ich mag es nicht, wenn Leute Gedichte im Original zitieren, so als könnte alle Welt ohne Weiteres fremdsprachige Lyrik verstehen. In dem Fall aber habe ich mir die Zeilen tatsächlich auf Englisch gemerkt. Sie reimen sich, sie klingen wie ein Zauberspruch, vielleicht liegt es daran. Man braucht sie nicht zu verstehen, man braucht sie nur vor sich hin zu murmeln. Ich glaube, erst als ich sie sehr oft vor mich hin gesprochen hatte, habe ich sie verstanden.)

Rückblickend betrachtet, folgte alles einer Logik. Du hast dich auf eine Stelle im Ausland beworben, in Russland. Ich hatte das Gefühl, du hast dir absichtlich ein Land ausgesucht, in das ich dir nur schwer folgen kann. Um mir ein Visum zu beschaffen, mit dem ich länger bleiben konnte als bloß zwei Tage, fuhr ich zu einer inoffiziellen Adresse in Berlin, von der mir eine Bekannte im Vertrauen erzählt hatte. In einer kahlen Wohnung saß ein junger Mann in einem Bürostuhl, die nackten Füße auf dem Schreibtisch. Ein zweiter kam hinzu. Mit ernsten Mienen berieten sie über meinen Fall. Der erste schlug ein Berufsvisum vor. Als ich sagte, ich sei Übersetzerin, schüttelten sie entsetzt die Köpfe. Schließlich einigten sie sich auf Varietékünstlerin. Die Russen lieben den Zirkus, erklärten sie mir, am besten, Sie haben immer ein Paar Tanzschuhe dabei. Als sie mir den Pass mit den Stempeln überreichten, wünschten sie mir ohne ein Lächeln Glück.

Ich dachte, das Jahr wäre eine gute Gelegenheit, um sich Liebesbriefe zu schreiben. Aber dann haben wir immer nur darüber beratschlagt, wer wann den anderen besuchen kommt.

Meistens kam ich dich besuchen. Obwohl die Strecke nicht sehr lang war, kaum 700 Kilometer, brauchte der Zug von Berlin nach Kaliningrad eine Nacht und einen halben Tag. Du hattest viel zu tun: Unterricht an der Universität, hin und wieder Tätigkeiten in der Deutschen Bibliothek, nachmittags Konsultationen mit Studenten, die fast alle Studentinnen waren.

Ich blieb allein in der kleinen Wohnung zurück. Bei

meiner Ankunft hattest du mir eine prächtige Packung Aquarellstifte überreicht. Ich hatte seit Jahren, im Grunde seit meiner Kindheit, nicht mehr gemalt. Ich versuchte mich am gegenüberliegenden Haus – Ornamente, ein Detail der Fassade, Farbtöne in Ocker, Beige und Gelb. Dabei hörte ich eine CD von Björk, von der du gedacht hattest, sie würde mir gefallen. Sie gefiel mir tatsächlich, aber erst, als ich sie sehr viele Male gehört hatte. Später setzte ich mich an einen Text, den ich mitgebracht hatte, um nicht untätig zu erscheinen. Bei der Arbeit sah ich immer wieder auf. In der Nachbarschaft war ein Kindergarten. Durch das unbelaubte Geäst der Kastanien konnte ich die einheitlich roten Mäntel der Kinder erkennen. Ihre Stimmen drangen zu mir herauf.

Bevor ich das Haus verließ, musste ich jedes Mal über einen Hund hinwegsteigen, der von seinem Besitzer im Erdgeschoss ausquartiert worden war. Er war alt und blind und hieß Nord. Obwohl ich Katzen lieber mochte, entwickelte ich eine gewisse Sympathie für ihn. Er war genauso unnütz an diesem Ort wie ich.

Tag für Tag ging ich aufs Amt, wo ich mich registrieren lassen musste. Man behielt meinen Pass ein, was mich beunruhigte. Es beunruhigte mich, weil ich ohne Pass gezwungen war zu bleiben. Es war, als wäre ich doppelt unfrei. Ich wollte nicht weg von dir. Aber ich wollte auch nicht von jemand anderem gezwungen werden zu bleiben.

Zum Essen verabredeten wir uns manchmal in der Innenstadt. Du brachtest einen deutschen Kollegen mit. Er ähnelte einem freundlichen Bison.

Das ist Stefan, sagtest du und stelltest uns einander vor. Als ich ihm die Hand geben wollte, schlug er nicht ein. Verlegen erklärte er, in Russland würden Frauen nicht die Hand geben.

Aber du bist kein Russe, sagte ich.

Doch auch nachdem ich das gesagt hatte, gab er sie mir nicht.

Wir aßen beim Japaner oder in einem folkloristisch aufgemachten Selbstbedienungsrestaurant, wo gegen Abend Kaninchen unter den Tischen herumhoppelten. Ihr habt über die russische Politik gesprochen, habt Witze über die Behäbigkeit der Behörden gemacht, darüber, dass du noch immer kein Büro an der Universität hattest, weil sich die Mitarbeiter gegen Wissenschaftler aus dem Ausland sperrten.

Abends lud Stefan uns in eine Bar ein. Sie war in einem Kellergewölbe. Wir aßen Kaviar, tranken Wodka. Von den schweren Samtsofas aus sahen wir zu, wie eine junge Frau in Haremskleidern den schummrigen Raum betrat. Auf dem Kopf trug sie einen vielarmigen Ständer mit brennenden Kerzen. Langsam vollführte sie eine Art Bauchtanz. Eine ältere Frau am Nebentisch versuchte, dich zum Tanzen zu bewegen. Du hast abgelehnt, aber freundlich, du wolltest keine Schlägerei provozieren.

Zu den Veranstaltungen, zu denen du eingeladen wurdest, hast du mich nur unwillig mitgenommen. Wie ein Puzzleteil, das an der falschen Stelle ins Bild gepresst wird, hockte ich mondköpfig da. Die fremde Sprache machte mich müde. Obwohl ich sie als Kind in der Schule gelernt hatte, kamen mir jetzt nur Brocken aus dem Mund. Ich studierte die Frauen und überlegte, mit welcher von ihnen du vielleicht ein Verhältnis hattest. Sie wirkten devot und auf betörende Weise rätselhaft (langes gepflegtes Haar, stark getuschte Wimpern). Ich war mir sicher, sie machten einem Mann keine Vorwürfe. Sie waren auch nicht auf eine symbiotische Beziehung aus. Deshalb waren westeuropäische Männer von ihnen so angetan. Eine Frau, die ihnen nichts abspenstig machen wollte, die für sich blieb, wenn man sie nur gut behandelte, und nachts, wenn man betrunken nach Hause kam, wärmte sie einem ein Hühnchen auf.

Meistens brach ich am Ende der Veranstaltungen vor dir auf. Zurück in der Wohnung, sah ich »The Big Lebowski« auf dem Laptop. Während ich dalag, dachte ich an einen Thriller in Schwarzweiß, den ich als Kind gesehen hatte. Er hieß »Gaslicht« und handelte von einem Mann, der seiner Frau einzureden versucht, sie würde an Wahnvorstellungen leiden.

Ich versuchte, die Stadt unvoreingenommen auf mich wirken zu lassen und nicht so, als wäre sie Feindesland. Aber sie gefiel mir nicht. Ich hatte nichts darin verloren.

Das sagt man so.

Ich könnte auch sagen: Ich hatte dort nichts zu suchen.

Die Unsichtbarkeit ließ nicht von mir ab. Auf der Straße gelang es mir nicht, den Blick eines Mannes auf mich zu lenken. Sie strahlten eine Neutralität aus, die mich noch stärker an mir und meinem Frausein zweifeln ließ als an dir. Als fehlte mir der Schlüssel zu ihren Gesten und Blicken, konnte ich nicht erkennen, was in ihnen vorging. Ihre Gesichter waren genauso undurchdringlich wie die der Beamten an der Grenze. Entweder würden sie mir in der nächsten Sekunde verständnisvoll über den Kopf streichen oder mich abführen lassen. Vielleicht bekäme ich bei einem falschen Wort auch einen Stuhl über den Kopf gezogen. (Offenbar keine unübliche Todesursache. Allein im näheren Umfeld deines Kollegen waren so zwei Männer umgekommen – Russen.)

Wir machten Ausflüge auf die Kurische Nehrung, nach Cranz und Rauschen und nach Nida. Im Thomas-Mann-Haus dachte ich: Schön. Es gab auch Kuriositäten, an die man in dieser Gegend der Welt fast schon gewöhnt war. Im Heimatmuseum in Sowetsk, dem früheren Tilsit, hing eine Stadtkarte, auf der der Platz im Zentrum noch immer Adolf-Hitler-Platz hieß, während draußen, auf dem Vorplatz des Museums, ein sowjetischer Panzer als Mahnmal für den Frieden stand.

Auf einer Party, die bei einem anderen deutschen Kollegen stattfand, unterhielt ich mich mit einer jungen Frau. Sie stammte aus Hamburg und sprach vier Sprachen. Sie studierte in Danzig Polnisch und wollte danach für ein Praktikum nach Kanada. In Kaliningrad war sie nur für ein paar Tage, weil sie ihren Freund treffen wollte, einen Deutschen. Obwohl ich selbst gerade erst dreißig geworden war, kam ich mir, während sie erzählte, alt vor.

Irgendwann verschwand sie im Bad. Nach einer Weile klopfte ich an die Tür. Weinend kam sie heraus. Ich sah, dass sie sich übergeben hatte. Wie zur Entschuldigung erklärte sie mir, sie komme aus behütetem Hause. Den Osten finde ich exotisch, sagte sie und wischte sich über den Mund, aber die aufgehängten Fische hier im Bad sind einfach nur widerlich.

Mir kam es vor, als würdest du die Luft anhalten müssen, solange ich bei dir war, und wenn du mich dann endlich zum Bahnhof bringen konntest, warst du voller Ungeduld. Eine Kapelle spielte, die Türen schlossen sich, der Zug fuhr ab. Langsam rollte er aus dem Bahnhofsgebäude. Ich stand im Gang am Fenster und betrachtete die Häuser in den Vorstädten. An einer Brandmauer prangte ein riesiges Graffito: Zweta, werde meine Frau.

Ich nahm mir vor, bestimmte Vorfälle aufzuschreiben, von denen ich dir bei unserem nächsten Telefonat erzählen wollte, etwa Erlebnisse aus dem Zug. (Wem sollte ich sie sonst erzählen?)

Einmal lag ich mit einer jungen Frau im Liegewagenabteil. Sie sagte, sie komme aus einer Stadt im Fernen Osten. Fast schon Korea, sagte sie und lachte. Sie wollte nach Berlin, dann weiter nach London. Jemand – ein Mann – habe sie eingeladen, sie zeigte mir den Brief. Sie wirkte stolz, sie war aufgeregt.

An der deutschen Grenze, es war vier oder fünf Uhr morgens, musste sie aussteigen. Offenbar stimmte etwas nicht mit ihren Papieren. Die Beamten lehnten in der Abteiltür, sie sahen müde aus, fast ein wenig bedrückt. Die junge Frau protestierte nicht, sie tat, was man von ihr verlangte, aber in einem verzweifelten Zeitlupentempo. Als wollte sie sich auf diese Weise gegen die Unvermeidlichkeit zur Wehr setzen.

Von meiner Schlafliege aus sah ich, wie sie sich fertig machte. Strähne für Strähne kämmte sie sich, langsam knöpfte sie ihre Jacke zu und ruckte den Reißverschluss ihres Stiefels zurecht. Dann saß sie draußen auf dem Bahnsteig auf einer Bank. Sie hatte nur eine kleine Tasche als Gepäck dabei, eine Schultertasche, ungefähr das, was man in der westlichen Welt *Shopper* nennt. Es war noch dunkel. Als der Zug sich wieder in Bewegung setzte, winkte sie mir ganz leicht zu.

Die Monate vergingen rasch. Wir telefonierten nicht mehr täglich miteinander. Und wenn, berichteten wir uns gegenseitig, womit wir im Moment beschäftigt waren. Am Ende eines Gesprächs die gängigen Floskeln. Ich vermisse dich. Beim nächsten Mal. Lass dir die Tage nicht lang, und so weiter und so fort.

Ich merkte, dass du dir das Heimweh richtig ausdenken musstest.

Und tatsächlich, du wolltest nicht zurück. Anstatt zurückzukommen, bist du mit dem Zug Richtung Sibirien aufgebrochen. (Dass man sich trotz der Entfernungen auf der Erde immer noch mehr voreinander verkriechen kann, kam mir phantastisch und zugleich schauerlich vor.) Ich fuhr für ein paar Tage nach Paris, wo ich auf der Suche nach einem Internetcafé durch die Straßen streifte. Vier- oder fünfmal am Tag öffnete ich meinen E-Mail-Account und sah nach, ob eine Nachricht von dir eingetroffen war.

In knappen Sätzen nanntest du mir die Etappen deiner Reise: Perm I, Perm II, Irkutsk, Ulan Ude, Pflichtprotokolle im Miniaturformat.

Ich hatte immer genau gewusst, was die Zukunft für mich bereithält. Mit einemmal wusste ich es nicht mehr. Wäre die Welt in diesem Moment von einem Atomkrieg ausgelöscht worden, hätte ich es hingenommen. Warum sollte es die Welt noch geben, wenn es uns nicht mehr gab?

(So müssen sich Diktatoren fühlen, die sich aus Einsamkeit und auf der Flucht vor der Gewissheit, ein Nichts zu sein, dafür entscheiden, das Nachbarland zu überfallen.)

In was verwandelt man sich, wenn der andere aufhört, einen zu lieben? Verwandelt man sich in sich selbst zurück? Ist man, wenn man aus einer Liebesbeziehung entlassen wird, noch immer der Mensch, in den der andere sich einst verliebt hat? Oder war ich, sozusagen unter dem *Zugriff* der Liebe, unbemerkt von der Außenwelt, ja sogar ohne dass ich selbst es bemerkt hätte, mit den Jahren eine andere geworden?

Ich sagte mir, vielleicht hast du ja recht. Die Liebe verhindert das Schlechte (Schmerzen, Leid), aber seltsamerweise verhindert sie auch das Gute (das vielleicht auch auf Schmerzen und Leid hinausläuft – ich sehe die Dinge immer zu schwarz). Wie dem auch sei. Da war etwas, das mir als mein eigentliches, ungelebtes Leben erschien. Es gab ganz klar andere Möglichkeiten meines Lebens. Möglichkeiten eines Lebens ohne dich.

In einer Übersetzerkolonie lernte ich einen Übersetzer

kennen. Er war Argentinier und übersetzte aus dem Italienischen und Englischen ins Spanische. Er war fleißig, wir waren es beide, und wenn wir miteinander geschlafen hatten, gingen wir in unsere Zimmer zurück und setzten uns wieder an den Schreibtisch. Manchmal blätterte er zerstreut in einem der Bücher, die auf meinem Nachttisch lagen, und buchstabierte die Namen der Autoren oder einen Titel. Sarah Kirsch, sagte er, oder: *Mein – Jahr – in – der – Nie-mands-bucht*, und ich verstand, dass er nichts mit alldem verband. Mir ging es ja genauso. Beim Gedanken an die gewaltige Menge an Dingen, die ich lernen müsste, um ihn richtig kennenzulernen (sein Land, dessen Geschichte, die Geographie seiner Heimat, die Verzweigungen seiner Familie), wurde ich mutlos. Es verunsicherte mich, dass ich nicht einschätzen konnte, welche seiner Eigenschaften *typisch* für einen Argentinier waren und welche anderen seiner ganz persönlichen Geschichte geschuldet waren, der eines kleinen Jungen aus einem Dorf in der Nähe von Resistencia.

Ich merkte: Ich erwartete nichts von dieser Beziehung. Diese Erwartungslosigkeit schien mir sinnloser als das Gefühl von Langeweile in einer Beziehung.

Im Gegensatz zu dir und mir teilten wir keine Vergangenheit. Das hattest du ihm voraus. Aber dann dachte ich, wie lange lässt sich aus einer gemeinsamen Vergangenheit schöpfen? Und überhaupt: Ist es nicht traurig, dass zwei Menschen von gemeinsam erlebten geschichtlichen Verläufen zusammengehalten werden, von gemeinsamen *Referenzsystemen*? Aber dann dachte ich noch etwas anderes, und der

Gedanke tröstete mich. Ich dachte, dass weder die *gemeinsame* Herkunft zweier Menschen noch die *Verschiedenheit* ihrer sozialen Abstammung von Bedeutung ist, wenn etwas zu Ende geht. Beides kann die Liebe nicht retten.

Wir hatten Angst davor, es auszusprechen. Wir wollten es nicht, also unternahmen wir auch nicht den Versuch. Schließlich hatten wir uns nie Ehrlichkeit geschworen. Wir hielten *einander die Wahrheit sagen* für Blödsinn. Wir gehörten beide einer anderen Welt an, einer, in der ein Geheimnis dazu da war, gewahrt zu werden anstatt entblößt. Nichts hat Gewicht ohne Geheimnis. Verschweigen, Zögern, Zurückhalten – solche Dinge gefielen uns. Jemand, der nichts zu verbergen hat, war uns zuwider. Wir misstrauten der Transparenz.

Ich muss aufpassen, ich sage *wir* statt *ich*. Noch immer.

Aber so empfand ich es: In Bezug auf das *Wesentliche* hatte zwischen uns immer Übereinstimmung geherrscht. Was vielleicht nur eine Übereinstimmung aus Gewohnheit gewesen war. Solche Dinge verwechselt man leicht.

Um wirklich zu erfahren, wer und wie man ganz ohne andere Menschen ist, müsste man sehr lange allein sein, Jahre, besser noch Jahrzehnte. Niemand ist imstande, so etwas auszuprobieren.

Viele Jahre lang habe ich es gemocht, nach einer Reise heimzukommen. Hatte ich etwas erlebt, nahm ich mir schon im Zug oder Flugzeug vor, dir davon zu berichten, nein: Schon im Moment des Erlebens erzählte ich dir davon. Es war schön zu wissen, dass du da warst. Du hast mich bei der Ankunft abgeholt.

Dann, irgendwann, hast du mich nicht mehr gern abgeholt, vom Bahnhof oder dem Flughafen oder irgendeinem anderen Treffpunkt. Einmal hattest du eine neue Brille, aber ich sah es nicht, die ganze lange Autofahrt vom Flughafen nach Hause fiel es mir nicht auf, weil ich in Gedanken noch dort war, wo ich herkam, und du sagtest nur kopfschüttelnd: O Mann, echt?

Derlei Vorfälle – Missverständnisse, Versehen oder absichtsvolle Manöver – häuften sich. Einige Wochen später bestand ich darauf, dass du einen bestimmten Mantel anhattest, wenn du mich am Hauptbahnhof abholtest, den dunkelgrünen Regenmantel aus der Zeit, als wir uns kennengelernt hatten. Ich muss ihn um jeden Preis in diesem scheußlichen, wunderbaren Mantel sehen, wenn ich aus dem Zug steige, dachte ich. Aber irgendetwas war in all den Jahren geschehen, und als ich ausstieg – ich sah es schon von Weitem –, trugst du den Mantel nicht. Vielleicht, um deine Unabhängigkeit zu demonstrieren. Um zu beweisen, dass du dir nicht auf der Nase herumtanzen lässt. Von niemandem, nicht mal von mir.

Ich habe gesagt: Unsere Geschichte ist zu Ende, wenn wir auseinandergehen. Dass sie dann verloren ist. Und dass ich deshalb Angst vor einer Trennung habe.

Aber vielleicht ist es auch genau andersherum. Vielleicht braucht es ein Ende in der Wirklichkeit, damit das Erzählen beginnen kann. Ich erwähne das, weil ich mich daran erinnere, wie oft ich gescheitert bin, wenn ich über uns zu schreiben versucht habe.

Früher, noch ganz zu Beginn, dachte ich: Sollte ich jemals ein richtiges Buch schreiben, könnte es nur eins über dich sein. Worüber in aller Welt hätte ich sonst schreiben sollen? Alle Bücher, die ich schreiben würde, würden von dir handeln, so viel stand fest.

Ich wollte erzählen, wie einfach es ist, glücklich zu sein.

Man muss sich doch nur entscheiden, hattest du damals gesagt. (Es war zu der Zeit, als wir den Pakt schlossen, der Park, der Käse, der würgende Hund.) Ich habe mich entschieden, dich zu lieben. Du hast dich entschieden, mich zu lieben. Fertig. Das hattest du gesagt.

Viele Jahre lang hat mich diese Einfachheit entzückt.

Ich habe tatsächlich versucht, dieses Buch zu schreiben. Ich wollte es wegen dir. Du mochtest keine Bücher, in denen Lebensidioten vorkamen. All diese Unfähigen! Du hast es der Literatur übelgenommen, dass sie immer dann beginnt, wenn etwas zu Ende gegangen ist. Dass sie sich hergibt, wenn Not am Mann ist. *Not am Mann.* Ich zitierte dann jedes Mal die Binsenweisheit der Literatur: Man scheitert, wenn man über das schreiben will, was einen glücklich macht. Insgeheim aber glaubte ich das Gegenteil. Insgeheim gab ich dir recht, nicht der Binsenweisheit.

Ein Roman in ganz einfachen Worten sollte es sein. Ein einfacher Roman. Es müsste etwas sehr Flaches, Unaufgeregtes sein, dachte ich, ohne eine gesuchte, kunstvolle Form.

Hin und wieder machte ich mir Notizen. Ich machte sie

heimlich. Ich wollte nicht, dass du etwas davon mitbe-
kamst. Vermutlich dachte ich, schon ein kurzer kritischer
Kommentar von dir würde mich von meinem Vorhaben
abbringen.

Der Roman begann so:

Ich fuhr gern mit Crohn ins Blaue hinein. Wir fuhren
auf holprigen Straßen, über Alleen, durch die Landschaft. Nicht, dass die Natur uns lockte. Crohn hatte
nur Augen für mich und ich für ihn.

Ein anderer begann so:

Zu dem Zeitpunkt stand in der Senke hinter dem Haus
ein Heer von Brennnesseln. Selbst weiter oben, in der
Nähe des Eingangs, stach hier und dort eine aus dem
Boden, das böse Gewächs schlich sich ans Haus heran.
Es war kein romantisch verwilderter Garten, das Grundstück hatte nichts Verwunschenes. Dem feuchten, krau-
tigen Untergrund ließ sich mit dem Rasenmäher nur
schlecht beikommen. Eigentlich überhaupt nicht, stellte
Lydia fest. Manchmal mähte sie mit einer rostigen
Sense, die sie im Schuppen gefunden hatte, aus Jux eine
kleine Schneise in das Brennnesselfeld. Wie alle Städter
kam sie dabei sofort ins Schwitzen. Alle paar Minuten
legte sie eine Pause ein, um ihr Werk zufrieden zu betrachten. So viel geschafft, dachte sie glücklich und
malte sich aus, wie die Senke aussähe, wenn auf dem
glatten, hellgrünen Rasen ein Pavillon stünde, dazu ein

Busch Jasmin und am rückwärtigen Zaun, hinter dem der Wald begann, bunte Blumenstauden. Der Wald trübte die Idealvorstellung von einem cottageähnlichen Haus.

Ohne die Bäume, die ihr Laub das ganze Jahr über an das Grundstück abzugeben schienen, wäre es schöner, sagte Lydia zu Wolf.

Wolf hörte geduldig zu, brachte aber keinerlei Enthusiasmus auf. Das Haus, dieser Garten lösten keine Träumereien bei ihm aus. Er schien geheilt von Plänen, die Häuser und Grundstücke betrafen. Geheilt? Er schien nie etwas davon gehalten zu haben.

Ich brauche kein Haus, hatte er einmal zu Lydia gesagt. Ich habe dich.

Crohn! Lydia und Wolf! Es war mir ein wenig peinlich gewesen, den Figuren Namen zu geben. Ich fand es immer etwas dreist. Wie kommen Schriftsteller auf so was? Empfinden sie keine Scham dabei?

Wie dem auch sei, ich habe den Roman nicht geschrieben. Es ist mir nicht gelungen. Wie viel Zeit ich damit verbracht habe, es zu versuchen! Und obwohl ich nur an *diesem einen* Roman gescheitert bin (andere habe ich inzwischen ja geschrieben), ist mir das immer wie eine Niederlage gegenüber *aller* Literatur vorgekommen. Als hätte nur dieser Roman, der Roman der einfachen Liebe, anderen Menschen etwas nützen oder ihnen Glück bringen können.

Damals schwor ich mir auch: Sollte es eines Tages doch noch dazu kommen, dass ich den Roman schreibe, wie auch immer er dann aussähe, würde ich dich niemals darin sterben lassen (wie ich es später mit anderen Personen aus meiner Umgebung getan habe – wovon ich in dem Moment natürlich noch nichts wusste). Man tut den Menschen, die man kennt, ja schon genug an, wenn man über sie schreibt. Indem man sie zu Romanfiguren erhebt, verkennt man sie im wirklichen Leben. Man lebt wie unter Gespenstern, ja ist selbst ein Gespenst.

Das Haus in dem missglückten, schon nach wenigen Seiten abgebrochenen Manuskript war das Haus deiner Eltern, die wir gelegentlich besuchten. Ich habe dort tatsächlich einmal Brennnesseln gesenst. Im Herbst harkten wir das Eichenlaub zusammen und stopften es in große Säcke. Das gefiel mir. Zu der Zeit, zur Zeit des Beginns, wünschte ich mir, das Leben mit dir wäre nichts weiter als Laub-in-Säcke-Stopfen. Es hätte mir gereicht.

Und du? Du hattest nichts übrig für solche Arbeiten, genau wie ich es in meinem Romanversuch geschrieben hatte. Du sagtest, sie würden dich abhalten. Ich weiß nicht genau, wovon. Du hast nicht von einem Leben auf dem Land geträumt. Und wenn, dann hast du ein Schloss vor dir gesehen, in dessen Park freundliche Gärtner die Hecken stutzten und verborgene Sitzecken bauten. So eine Welt sagte dir zu. Du hast dich versiert darin bewegt, du warst in deinem Element.

Einmal, es war bei der Verleihung eines Literaturpreises (den ein von mir übersetzter Autor bekam), und du hattest mich begleitet, wurde die Gästeschar mitten in der Heidelberger Altstadt von einem Champagnerbankett überrascht. Du hieltest das für das Selbstverständlichste der Welt. Gelassen hast du ein Glas entgegengenommen und bist später vollkommen natürlich den Weinberg hochspaziert, oberhalb vom Neckar, hast ohne Eifer die Häppchen begutachtet und die Aussicht genossen, als wäre die Schönheit der Landschaft für dich erschaffen worden. Mit geschlossenen Augen standst du in der Sonne, während mir diese Pracht, der unfassbare Überfluss unangenehm waren. Mit gekrauster Stirn saß ich beim Essen, sodass mein Tischnachbar besorgt nachfragte, ob Lachsartar mir *generell* nicht schmecke. Ich wandte mich zur anderen Seite, zu dir. Die kriegen uns nicht, flüsterte ich dir scherzhaft zu, merkte aber im selben Moment, dass du in ein Gespräch vertieft warst, das sich um die richtige Zubereitung eines Kirsch-Soufflés drehte.

Übrigens habe ich auch später noch hin und wieder an mein Vorhaben gedacht, das Buch. Inzwischen war ich im Hinblick auf meine Überlegungen demütiger geworden.

Auf einem Zettel notierte ich:

Sie lernten sich kennen.
Sie liebten sich wie verrückt.
Sie liebten sich.
Ihre Liebe verwandelte sich.
Sie blieben aneinander gewöhnt.
Sie kannten sich nicht mehr.
Und dann?

Der Lehrsatz der Thermodynamik besagt, Energie geht nicht verloren, sie wird bloß umgewandelt. Ich habe mich immer gefragt, zu was sie in unserem Fall wird.

Vielleicht lässt es sich so erklären: Wir sind täglich von anderen Menschen umgeben gewesen. Zuerst sind wir zur Universität gegangen, wir fuhren ab und zu mit dem Bus irgendwohin, und am Wochenende ging es mit Bekannten im Auto zu Partys, wir saßen in Kinos, standen zusammen mit anderen in Clubs, manchmal in einem Stadion, wir kauften ein, trafen Arbeitskollegen und Freunde und später Elternpaare, wir nahmen an Versammlungen teil, warteten auf Flughäfen und Bahnhöfen herum, hielten Vorträge oder hörten welchen zu und aßen in Restaurants. Trotzdem sehe ich dich und mich in einer Blase. Ich sehe uns wie in einer Blase durchs Leben gehen, und all die anderen Menschen, Freunde, Kollegen, Verwandte, Bekannte, vielleicht sogar die Kinder, sind dicht daneben, sie können ihre Hände zu uns hereinstrecken, nach uns greifen, und wir greifen nach ihren, ohne dass die Blase platzt.

Die Zeit wurde uns manchmal lang miteinander.

Im Sommer starb ein Freund auf einem Campingplatz. Er starb auf eine außergewöhnliche Weise, durch einen Blitzschlag. Es war ein sehr heißer Sommer, und beinahe täglich gab es heftige Gewitter. Du hast mich angerufen, um es mir zu erzählen.

Er ist vom Lagerfeuer aufgestanden, um in sein Zelt zu gehen, sagtest du. Er stand schon davor, er hatte es schon geöffnet, da hat ihn der Blitz getroffen.

Obwohl ich dich nicht sah, konnte ich spüren, dass du fassungslos den Kopf geschüttelt hast.

Ich hatte gerade begonnen, ein Buch zu schreiben. Es ging erstaunlich gut voran, aber an diesem Abend, nachdem du mich angerufen hattest, legte ich die Manuskriptseiten beiseite. Ich nahm ein weißes Blatt und schrieb das, was du mir erzählt hattest, auf. Dann saß ich eine ganze Weile da. Ich las mir die Zeilen immer wieder durch. Schließlich notierte ich eine Frage darunter. Die Frage lautete: Bleibt uns in dieser Welt also tatsächlich nichts anderes übrig, als ein Kind zu bekommen?

Das alles ist schon lange her. Es war etwas Ungeheures geschehen an dem Tag, etwas Schreckliches, aber ich weiß noch genau: Während ich die Frage auf das Blatt schrieb, lächelte ich.

Zu Beginn unserer Liebe hatten wir darauf geachtet, nicht zu schnell zusammenzuziehen. Jetzt erschien uns diese Vorsicht albern und unpraktisch.

Ich fand eine größere Wohnung, für uns beide, für uns *drei*. Du umarmtest mich häufiger, seitdem wir erfahren hatten, dass ein Kind in mir heranwuchs.

Als wüsstest du, dass du angesichts dessen, was uns bevorstand, jede Minute nutzen musstest, hast du oft schon morgens am Tisch gesessen und geschrieben. Beim Aufwachen sah ich deinen Rücken. Du drehtest dich zu mir herum und sahst mich freundlich an, etwas weniger freundlich, wenn ich zu früh aufgewacht war.

Dann war das Kind da. Ich fuhr es im Wagen spazieren, ich fütterte und wickelte es. Ich beschäftigte mich mit Krankheiten und Impfungen. Ich traf Entscheidungen, die nicht mir galten. Ich beobachtete das Kind. Ich lernte es kennen und mich mit ihm. Ich kaufte Bilderbücher aus Stoff und Kleidung, Windeln, Essen in Gläschen und noch mehr Windeln und etwas später ein allererstes Buch, das aus dicker Pappe war.

Mit dem Kind trat ich in eine Welt ein, die fast ausschließlich aus Frauen bestand. Zum ersten Mal nahm ich sie als eine Gruppe wahr, zu der nun auch ich gehörte. Mit manchen freundete ich mich an, aber es waren befristete Freundschaften, Zweckbündnisse, wenn man gemeinsam mit klammen Fingern den Kinderwagen durch den Park schob, und ich vergaß ihre Namen schnell, sobald die Phase beendet war.

Dann war ich das erste Mal wieder für einen halben Tag allein, und ich wusste so wenig mit der Zeit anzufangen, dass ich mir Fotos von dem Kind anschaute und darauf wartete, dass du mit ihm nach Hause kamst.

Nach einer gewissen Zeit brachten wir es in einen Kindergarten, und ich konnte noch immer nicht glauben, dass es da war. Und für immer bei uns bleiben würde.

Die täglichen Abläufe verfestigten sich. Ich gewöhnte mich an die Tätigkeiten im Haushalt, die mir anfangs fremd und verhasst gewesen waren. Ich wurde fauler, trieb durch den Tag.

Morgens nahm ich mir vor, auch die Kleinigkeiten wich-

tig zu nehmen. Den alltäglichen Dingen *Poesie* abzuge-
winnen. Ich wollte dir erzählen, dass der Kaffee übergelau-
fen war, es am Vormittag zweimal geklingelt hatte, ich mit
dem Kind im Wagen die lange Allee zurückgegangen war,
weil der Kuschelhund plötzlich fehlte, und wir auf dem
Rückweg der Feuerwehr beim Löschen eines Brandes zugesehen hatten. Aber die Tage waren wie gefräßige Schlangen.
Am Abend war nichts mehr übrig von dem Besonderen,
das ich glaubte, erlebt oder gedacht zu haben, und ich ging
dir mürrisch aus dem Weg.

Wenn ich in dieser Zeit verreiste, zu einer Lesung, einer
Konferenz, dachte ich nicht mehr an dich. Ich dachte an
das Kind. Ich fühlte mich schuldig, so weit weg von ihm.
Um mich nicht noch schuldiger zu fühlen, schrieb ich ihm
Briefe. Wenigstens das, sagte ich mir. Voller Hast und wie
doppelt erschöpft kehrte ich von dieser absolvierten Aus-
zeit zurück, deren vergnügliche Seiten ich mir nicht einzu-
gestehen erlaubte.

Mein Arbeitsbuch, über viele Jahre geführt, wurde wieder zu einem Tagebuch, wie in meiner Jugendzeit. Seiten,
auf denen ich statt Gedanken eher Befindlichkeiten notierte, bestimmte Abläufe, Neuigkeiten oder Entwicklungs-
schritte des Kindes. Früher waren diese Aufzeichnungen an
die Welt gerichtet. Jetzt schrieb ich sie ausschließlich für
mich auf, *um nichts zu vergessen.* Sätze wie Tränenströme,
leicht fahrig, im Schein einer Leselampe, die sich an das
dicke Heft anklemmen ließ. Meist schrieb ich sie spätabends oder in der Nacht, wenn ich nach dem Füttern des
Kindes nicht sofort wieder einschlafen konnte.

Im Frühjahr blühten die Kastanien. Stellvertretend für das Kind, das noch immer gern im Wagen schlief, beobachtete ich die Enten und ihren Nachwuchs im Park. Vor der Kirche im römischen Stil stand eine Gruppe von Konfirmanden. Unbeholfene Jungen, stolze, zu Damen drapierte Mädchen. Die Glocken begannen zu läuten, mir wurde vor Zukunftsverlassenheit schwer ums Herz.

Einmal traf ich dich unverhofft im Drogeriemarkt. Du hattest deine Mittagspause genutzt, um Rasiercreme zu besorgen. Beinahe verlegen standen wir uns gegenüber, wir wechselten ein paar Worte, dann gingen wir weiter, jeder in seine Richtung.

Bis heute Abend, sagtest du.

Bis heute Abend, antwortete ich.

Deine Welt kam mir wie ein fremdes fernes Land vor, ähnlich exotisch, wie mir in meiner Kindheit die Wörter »Mallorca« oder »Amerika« erschienen waren – unerreichbare Orte, die eine unbestimmte Sehnsucht geweckt hatten.

Von hier ab könnte ich genauso gut schreiben, *der Mann* tat dies, *die Frau* tat jenes. Unsere Konturen verwischten, wir wurden allgemeiner. Worüber wir sprachen, was uns beschäftigte, schien einem bestimmten Fundus zu entstammen. Unsere Geschichte hatte eine Richtung eingeschlagen, in der wir zu einem Paar wurden, in dem sämtliche Paare dieser Welt enthalten waren.

Störte mich das? Dass wir anfingen, anderen zu gleichen?

Nur im Anfang schien unsere Einzigartigkeit zu liegen.

Die kriegen uns nicht. Und jetzt hatten sie uns also doch gekriegt?

An einem Herbsttag ludst du mich in ein Restaurant ein. Wir waren sehr lange nicht mehr zusammen essen gewesen. Ich dachte, du wolltest mir vielleicht die Trennung vorschlagen, schließlich hatte ich auf meinen täglichen Spaziergängen mit dem Kind Zeit genug gehabt, meinerseits darüber nachzudenken. Aber du warst vergnügt. Wir redeten über das Kind.

Irgendwann sagtest du: Findest du nicht, wir jammern auf hohem Niveau? Wie wär's mit einem zweiten?

Ich begriff nicht, wie das sein konnte – wie passten meine eigenen Vorahnungen und Pläne zu deinem Vorschlag? Trotzdem war ich erleichtert, dass es dir nur darum ging, und küsste dich.

In der Nacht fiel mir eine kleine Schmuckschachtel ein, die ich vor vielen Jahren in Venedig gekauft hatte. Ich stand auf und suchte danach. Als ich sie gefunden hatte, klappte ich sie auf: Es lagen tatsächlich vier Muscheln darin, genau wie ich es in Erinnerung gehabt hatte. Vier verschieden große, unterschiedlich geformte Muscheln, die ich in jenem Sommer auf dem Lido gesammelt und dort hineingetan hatte.

Verstehst du?, sagte ich am nächsten Morgen, als ich dir die Schachtel zeigte. Es ist, als hätte ich schon vor Jahren ein Orakel in einer Kiste verschlossen. Alles ist genau so gekommen, wie ich es vorausgesehen habe.

Und du sagtest fasziniert: Magie!

Welche Brücke gibt es, welche Verbindungen zwischen den Ereignissen? Man lässt etwas hinter sich, um ans andere Ufer zu gelangen. Man denkt, es gelingt nicht, aber die Leute schaffen es jeden Tag. Sie gehen einfach los. Und plötzlich befindet man sich auf der anderen Seite, dort, wo man vorher noch nicht gewesen ist.

Zum Beispiel in einer Welt, in der du und ich zu viert waren.

Nachts, wenn eines der Kinder schrie, wechselten wir stumm die Betten, jeder seine Decke überm Arm. Anfangs zählten wir die Schlafstunden noch, dann nicht mehr. Es war sehr schwer zu arbeiten, weil wir so müde waren. Aber dann gewöhnten wir uns daran. Wir machten einfach übermüdet weiter.

Mehr als den fehlenden Schlaf bedauerte ich die Träume, von denen keiner zu einem Ende fand. Wenn ich nach unzähligen Unterbrechungen endlich aufstand, hatte ich es mit lauter Bruchstücken zu tun, einer Art Traummüll, der übrig blieb von der Nacht.

Das Wetter wurde wichtig für mich. Früher hatte ich mich nie um das Wetter gekümmert. Jetzt schaute ich mir morgens drei- oder viermal im Internet oder sogar im Fernsehen die Vorhersage an, das Regenradar, die Symbole, den ganzen Verlauf für die Woche studierte ich. Ich lauschte auf den Wetterbericht im Radio, und später, während ich bei der Arbeit saß, machte ich mir Vorwürfe, wenn ich den Kindern die falsche Jacke angezogen hatte, sie keinen Schal trugen oder mit den Winterstiefeln losgezogen waren (dabei sollte es am Nachmittag doch warm werden!). Wie in früheren Jahrhunderten strukturierten Sonne, Regen und Wind meine Zeit. Sie brachten Abwechslung in meinen Alltag. Mein tägliches Leben, unsichtbar und ewig gleich, war verbunden mit den Erscheinungen des Himmels.

Nach und nach ersetzte die Körperlichkeit mit den Kindern die Körperlichkeit zu dir. Abends saß ich mit ihnen in der Badewanne (den Kindern war mein Körper mehr zuzumuten als einem Mann). Durch die Kinder wurde meine Seele weicher, nachsichtiger, aber im selben Rhythmus wurde ich hartherziger dir gegenüber. Als wäre ich von einer höheren Macht zu einer Entscheidung gedrängt worden, bezog sich meine Güte jetzt nur noch auf die hilflosen Geschöpfe dieser Welt.

Die Liebe eines Menschen ist unendlich, heißt es. Ich bin mir nicht sicher, ob das stimmt. Bevor das erste Kind auf die Welt kam, schärfte ich mir ein, es dürfe mich auf keinen Fall daran hindern, dich zu lieben. (Schließlich warst du der Ursprung all meiner Liebe.) Aber dann war es da, das Kind, und die Liebe schien zu wandern, ganz leicht nur, fast unmerklich. Beim zweiten Kind ermahnte ich mich, auf keinen Fall das ältere Kind zu vergessen, da es ein Recht auf meine ungeteilte Liebe habe, an die es gewöhnt sei etc. War die Liebe in Wirklichkeit also ein Reigen? Ginge es immer so weiter, bis irgendwann ganz vorn, dort, wo der Anfang der Kette war, bei dir, alle Liebe verbraucht wäre?

Wenn ich den Haushalt machte, verfluchte ich mich. Gab es nichts Besseres zu tun? Ich wollte produktiv sein, etwas *bewegen*, Größeres tun, als staubzusaugen, die Küche aufzuräumen, die Wäsche auf- und wieder abzuhängen und in den Kommoden der jeweiligen Kinderzimmer zu verstauen.

Ich dachte an meinen Vater. In meiner Kindheit hatte er mir erklärt, Hausarbeit sei die unproduktivste aller Arbeiten. Anstatt etwas zu erschaffen, stelle sie nur immer wieder den Ausgangszustand her. Das habe schon Friedrich Engels gewusst. Was nicht heißt, dass sie sinnlos ist, hatte er augenzwinkernd angefügt, während er zusammen mit mir den Abwasch erledigte.

Dass es ein Weltbild gab, in dem so schnöde Tätigkeiten wie Putzen, Aufräumen oder Staubwischen analysiert und kategorisiert wurden, hatte mir gefallen. Das hieß, man nahm sie wichtig.

Irgendwann habe ich eingewilligt. Ich sagte mir, dass es lächerlich ist, in diesen Beschäftigungen eine Bürde zu sehen. Ich willigte ein, ja ich versuchte sogar, ein Schicksal darin zu sehen, etwas, das ich nicht jeden Tag wählte, wofür ich mich nicht dauernd neu entschied. Es war, wie es war. Wenn ich beim Auswaschen eines bekleckerten Pullis oder beim Reinigen des klebrigen Couchtischchens fluchte, dann tat ich das, weil ich mich in Wahrheit dafür schämte, dass es mir nichts mehr ausmachte.

Zu früheren Zeiten hatte ich mich oft stundenlang durch eine Welt aus Gedanken bewegt. Jetzt wurde meine Aufmerksamkeit fast nur noch von Tatsachen absorbiert.

Beim Abräumen des Frühstücksgeschirrs fiel mir der Wachsfleck in der Mitte des Tisches auf, und als ich mit dem Wachsfleck fertig war, sah ich beim Wegstellen der Butter, dass die Innentür des Kühlschranks voller Krümel war, und als ich die Krümel aus dem Lappen spülte, stach mir das verdreckte Abflusssieb ins Auge, und als ich das Abflusssieb im Mülleimer ausschütten wollte, war der so voll, dass ich den Sack sofort nach draußen bringen musste, und auf dem Weg nach draußen entdeckte ich die Sandspuren, die die Schuhe der Kinder im Flur hinterlassen hatten und die sich im Laufe des Tages in den Teppich graben würden, wenn man sie nicht sofort entfernte.

Was mir an diesen wiederkehrenden Verrichtungen missfiel, war, dass sie sich nicht erzählen ließen. Abends war alles zu einer Masse verklebt, der Tag lag wie ein Grießklumpen da, grau und zäh, aus dem keine einzelne Begebenheit herausstach.

Umgekehrt kam mir das Schreiben unnütz und mühsam vor, wie eine Laune, die einer anderen Zeitrechnung folgte. (Wie stolz ich war, wenn es mir doch einmal gelang, ein paar gute Zeilen zu notieren.) Ich zog es vor, irgendwelche Aufträge zu erledigen. Ich erledigte sie wie nebenbei, fliegend, mit dem Blick auf die Uhr. Ich versenkte mich nicht mehr in Bücher. Ich versenkte mich in gar nichts mehr.

Obsessive Gedanken hatte ich nur noch in Bezug auf dich. Inzwischen dachte ich an dich, wie man an ein unergründliches Wesen denkt, an Gott oder eine andere

Phantasiegestalt, die nur dazu da ist, damit die eigenen Gedanken einen Fluchtpunkt haben.

Ich wurde mir selbst lästig. Manchmal erschrak ich beim Blick in den Spiegel. Ich sah mich mit deinen Augen. Das also war sie, die Person, die du vor dir hattest, wenn du nach Hause kamst. Eine Frau, die *stumm* an ihrem Mann vorbeilief, *demonstrativ* mit den Türen knallte, das Besteck *geräuschvoll* in die Schublade warf und ihn statt mit einem *köstlichen* Abendessen bloß mit *ausdruckslosen* Augen in einem *teigigen* Gesicht empfing.

Nein: Kein Erschrecken. Die Vorstellung dieses Anblicks erfüllte mich mit grimmiger Genugtuung.

Wenn ich zu der Zeit von einem Liebhaber träumte, spielte sich das Ganze immer in stockfinsteren Räumen ab, im Abteil eines Schlafwagens, nachts auf der Straße unter erloschenen Laternen, in einem finsteren Hauseingang. Einfache Bewegungen, wortlose Handlungen, ein simpler Ablauf, ohne Gesicht.

Deine und meine Welt, deine und meine Erfahrungen – inzwischen hatte sich die Teilung festgesetzt. Mithilfe eines großen Wandkalenders planten wir unsere Arbeit, unsere Einsätze draußen in der Welt. Manchmal, wenn ein Zug sich verspätet hatte, die Zeit zu knapp wurde, übergaben wir uns eins der Kinder auf der Straße. Dabei küssten wir uns flüchtig auf die Wange. Es war, als würden wir auf langen Rollbändern durch die Halle unseres Lebens fahren und uns dabei mehr oder weniger große Bündel über die Mittellinie reichen.

Zum Telefonieren gingen wir jetzt eher nach draußen. Jeder für sich, spazierten wir redend und gestikulierend durch die Dunkelheit. Die neu installierten Parkuhren auf den Gehwegen schimmerten silbrig.

Vor einer Weile war ich in dem Viertel unterwegs. Ich wunderte mich: Obwohl ich hier war, musste keins der Kinder abgeholt oder gebracht werden, zu Hause wartete niemand darauf, dass es Abendbrot gab. Als ich an dem kleinen Spielplatz an der Ecke vorbeikam, fiel mir ein, wie ich dort gesessen und darauf gehofft hatte, dass der Tag schneller vorbeiging.

Ich beobachtete die Frauen auf dem Platz. In ihrer heimlichen Langeweile, dem vorgetäuschten Interesse an den Sandkuchen ihrer Kinder und den Lobgesängen auf simple Vorgänge wie Schaukeln oder Rutschen, erkannte ich mich wieder. Ich ging an den Häusern entlang. Hatte es zu regnen angefangen, hatte ich mich manchmal mit dem Kinderwagen unter einen der Torbögen gestellt. Sachte hatte ich ihn hin und her geschoben, in meine Gedanken vertieft. Nein, vertieft ist nicht der richtige Ausdruck. Es waren verschwommene, versprengte Gedanken. Sie schwappten wie Wasser in einem Kanister.

Das alles war längst vorbei.

(Plötzlich der Eindruck, ich könnte durch die Müdigkeit, die Hektik jener Jahre vielleicht einfach vergessen haben, dich zu verlassen.)

96

Wann habe ich zum ersten Mal weggehört, als du beim Abendbrot von deiner Arbeit erzählt hast? Ich weiß es nicht, aber ich weiß noch, dass ich nachts im Bett deswegen weinte. Ich dachte, das wäre das Ende. Aber es war nicht das Ende. Es ist sehr leicht wegzuhören. Ich hatte bislang nur nichts davon gewusst.

Vor allem die schlechten Nachrichten brachten wir mit nach Hause. Wenn du vom Institut erzählt hast, dann in Schimpftiraden. Das Schimpfen kam mir wie ein Schutzwall vor, hinter dem sich dein eigentliches Leben verbarg. Das gibt ihm die Möglichkeit, eine Welt aus Bekanntschaften und Liebeleien von mir getrennt zu halten, sagte ich mir. Für diese Strategie bewunderte ich dich.

Auch ich behielt glückliche Momente für mich. Ich tat es, obwohl ich wusste, dass du mich auf diese Weise als eine übellaunige Person im Gedächtnis behalten würdest, später, wenn es so weit wäre und wir uns tatsächlich nur noch in Gedanken begegnen könnten – weil wir tot wären oder so weit voneinander entfernt, dass wir uns nicht mehr einfach so auf der Straße über den Weg laufen würden.

Mir wurde klar, dass ich mein Leben ohne dich lebte.

Trotz allem stritten wir nur wenig. Ein Streit hatte für uns nichts Bereinigendes. Das Reinigende eines Streits hielten wir für eine Floskel. Sie gehörte zu einer Gegenwart, die die »Debattenkultur« zum Leitbild erhoben hatte.

Der sogenannte Austausch der Argumente ist in Wahrheit doch nur ein Herzeigen der eigenen Meinung, hast du gesagt, bevor du die Sonntagabend-Talkshow ausgeschaltet hast. Am Ende gehen alle auseinander, jeder gefangen in seinem Meinungskokon.

Kam es doch einmal zum Streit, war ich erstaunt über deine Vorwürfe. Mein Interesse war geweckt. Das also dachtest du von mir? So sahst du mich? Du hast mir vorgeworfen, ich würde mich gehenlassen und die Wohnung verwüsten. Ich hielt dir vor, nichts zum Familienleben beizutragen und die Wohnung zu verwüsten.

Einmal fing das jüngere Kind zu weinen an, als es uns streiten hörte. Aus dem Weinen wurde eine Panikattacke, schluchzend und zitternd kauerte es auf einem Stuhl. Wir stürzten zu ihm, streichelten ihm den Rücken. Als du mir über seinen Kopf hinweg einen versöhnlichen Blick zuwarfst, schaute ich weg. Ich dachte: Das wird nicht mehr gut.

Aber es ging einfach weiter.

Manchmal nutzten wir die Öffentlichkeit, um dem anderen Vorhaltungen zu machen. Als auf der Geburtstagsfeier eines Kollegen über Männer- und Frauenklischees diskutiert wurde, sagte ich: Männer sind mit ihrem Körper anwesend, aber in Gedanken komplett abwesend.

Alles lachte.

Du sagtest: Ja, und Frauen kümmern sich als Einzige um alles.

Erneutes Gelächter.

Ich erinnere mich, dass ich dir einmal – die Kinder saßen im Wohnzimmer und schauten im Fernsehen den Abendgruß – im Zimmer nebenan eine Ohrfeige gegeben habe.

Den Grund habe ich vergessen. Wie ist das möglich? Ich erinnere mich nur, dass die Ohrfeige nichts nützte.

Zu Beginn ist alles einfach. Dann wird alles schwer. Warum wird alles schwer, wenn es vorher einfach war? Dass es so ist, hört sich an wie eine Gesetzmäßigkeit. Es wäre schön, wenn es eine wäre. Dann müsste man es hinnehmen.

Wir hatten viel zu tun. Wir haben Wohnungen eingerichtet, haben Möbel und Haushaltsgeräte gekauft, wir haben Ostern und Weihnachten und Geburtstage gefeiert.

Wir hatten Sehnsucht. Wir wussten aber nicht genau, wonach. Wir hatten ja alles.

Sobald es Probleme zu lösen galt, die eins der Kinder betrafen, lebten wir auf. Zwei Manager einer Firma, besprachen wir die Optionen, erdachten Strategien. Wir hielten etwas auf unsere kühle, rationale Art. Um sie zum Lachen zu bringen, machtest du den Pantoffelrevolutionär vor. Ich lachte mit. Ich war nicht *tief* unglücklich. Oft freute ich mich sogar, abends, vorm Einschlafen, auf den Kaffee am Morgen. Auf diesen Moment, wenn wir dasaßen, noch in einen Traum versponnen, schweigend, manchmal scherzend, bevor jeder in seinen Tag entsandt wurde.

Vieles haben wir wegen der Kinder getan oder unterlassen.

Wegen der Kinder gingen wir häufig an die frische Luft.

Wir machten Urlaub auf Bauernhöfen und in Familienhotels.

Wir schliefen schlechter.

Wir hatten zwangsläufig Hoffnung für die Zukunft.

Wir besuchten Jahrmärkte und thematische Volksfeste (Apfelfest, Umweltfest, Drachenfest, Spargelfest).

Wir tauschten den Zweitürer gegen einen geräumigen Kombi.

Mit Kindern waren die Tage angefüllt und voller Leben.

Man wusste, wer gerade Bildungsministerin war.

Man hatte einen Grund, bei Straßenmusikern stehen zu bleiben.

Wir spielten nicht mehr mit dem Gedanken auszuwandern.

Das Leben kam einem sinnvoll vor.

Wegen der Kinder fuhren wir für eine lange Zeit nicht nach Paris.

Weil man sich Sorgen um sie machte, hatte man Angstphantasien.

Die Tage waren immer zu kurz.

Wir gingen nicht mehr ins Casino.

Wir fühlten uns schuldig in Bezug auf die Zukunft.

Bei Feiern gab es nur noch selten Alkoholexzesse.

All das stimmt. Gleichzeitig ist nichts davon wahr.

Ich wünschte, ich könnte die Geschichte ohne die Kinder erzählen. Es wäre einfacher. Ich möchte das. Ich möchte, dass es unsere Geschichte ist. Eine Geschichte, die nur dich und mich etwas angeht. Die Kinder gehören zu uns, ich weiß, aber sie werden ein anderes Leben führen. Sie führen längst ein anderes Leben. Wir können ihnen von uns erzählen, aber reicht das? Ich meine, reicht es *wirklich*?

Jeder wohnt in seiner eigenen Vergangenheit.

Wir gaben uns Mühe, den Blick der Kinder auf die Welt zu übernehmen.

Eine Zeit lang kauften wir Milch nur noch in Glasflaschen. Dann erkannten wir, dass die Glasflaschen aus einer Fabrik in Süddeutschland kamen und einen Weg von 800 Kilometern hinter sich bringen mussten, bevor sie bei uns im Supermarkt standen.

Wir aßen weniger Schweinefleisch, und wenn, verschwiegen wir es dem jüngeren Kind, das Schweine in allen Erscheinungsformen und Farben liebte.

Als das ältere Kind von einem Schulausflug zu einem Unverpackt-Laden begeistert Spaghetti und Linsen in einem Stoffhandschuh mit nach Hause brachte, folgten wir beflissen seinem Rat, ab sofort nur noch dort einzukaufen. Zwei- oder dreimal machten wir das auch, aber es war unpraktisch und weit weg, und wir vergaßen das Experiment wieder.

Im Vergleich zur Gegenwart kamen uns die Jahre unserer Kindheit und Jugend, mit der damals verbreiteten Angst vor einem alles auslöschenden Krieg, wie eine Zeit der Glückseligkeit vor, die wir nur nicht richtig zu deuten gewusst hatten.

Inzwischen erschrak ich nicht mehr über den Gedanken, dich zu verlassen. Ich konnte ihn denken, ohne dass er mich in Verzweiflung stürzte.

Ich begann, mich einzurichten darin. Ich machte es mir darin *gemütlich*. Ich dachte mir das so: Ich muss mich an die Trennung gewöhnen, bevor wir tatsächlich getrennt wären. Ich muss trainieren, um gewappnet zu sein, dachte ich. Ich dachte, ich trainiere in Gedanken, insgeheim, und wenn es tatsächlich geschieht, ist es nur noch banal, der Vollzug *irgendeiner* Realität.

Gleichzeitig begann ich, eine Liste anzulegen mit Dingen, die mir an dir gefielen. Als würde ich Argumente gegen mich selbst sammeln. Als wüsste ich, dass ich so eine Liste eines Tages brauchen würde. Eines Tages, das hieß, wenn es so weit wäre. Wenn ich das Für und Wider abwägen müsste.

Die Liste ging so:

Er trägt nie Wetterjacken.
Er wirkt besänftigend auf andere Menschen.
Er hat kein Interesse an modischen Sportarten (zum Beispiel Stand-up-Paddling).
Er hat noch nie einen Dachs (oder ein ähnliches Tier) überfahren.
Er hält exotische Länder für überschätzt.
Er kommt nie ins Bad, wenn ich auf dem Klo sitze.
Er besitzt keinerlei Talent für Tratsch.
Er hasst Lastenfahrräder.
Er lässt sich nicht von Zeitungsmeldungen beeindrucken.

Meine Gedanken waren ein Tinnitus, ein beständiges Pochen im Ohr. Ich überlegte mir, wann eine Trennung günstig wäre und wie ich es dir sagen würde. Eine wilde, ungestüme Gedankenflut trieb mich durch die Tage. Ich erdachte lange Monologe, die ich mir vorsprach, um sie irgendwann dir vorzusprechen. Ich übte sie, wie eine Schauspielerin ihren Text übt, ich überlegte mir Gedächtnishilfen, damit ich von einem Argument zum nächsten käme. Manchmal stand ich dabei auf dem kleinen Balkon, der vom Schlafzimmer abging, und schaute die Straße hinunter, zupfte an den vernachlässigten Pflanzen, während ich vor mich hin sprach, und dann war ich müde und ging ins Bett.

Der Entschluss, mich von dir zu trennen, ließ mich aufleben. Fröhlich und beschwingt war ich, als hätte ich es bereits getan. Jetzt, da ich keine Angst mehr hatte, dich zu verlieren, konnte ich das Leben mit dir leichtnehmen. Ich betrachtete alles, was geschah, als Bonus.

Vielleicht ist nicht nur das Aussprechen einer Absicht der abgeschossene Pfeil. Vielleicht ist es bereits der Gedanke. Nicht nur, was man sagt, auch was man *denkt*, ist in der Welt. Weil fast alles, was gedacht wird, irgendwann auch getan wird. Getan werden *muss*. Es ist wie ein Zwang. Die Realität ist nur der Kollateralschaden sämtlicher Einfälle, die jemals gedacht worden sind, ihr unvermeidliches Nebenprodukt.

Manchmal, in der Straßenbahn oder im Supermarkt, fragte ich mich, wer von den Leuten um mich herum in diesem Moment wohl daran denkt, einen anderen Menschen zu verlassen. Ich fragte mich, was wohl überwiegt, das Verlassen-Wollen oder das Sich-verlieben-Wollen. Oder entspringt beides womöglich demselben Impuls?

Die Ferien brachten Abwechslung. Wir fuhren in den Urlaub. Wir prüften, in welche Gegenden es günstige Flugverbindungen gab, und richteten unsere Wünsche danach aus. Oft fuhren wir dorthin, wo es warm war. Oft war es dann *zu* warm, und die Tage verstrichen mit der Suche nach Abkühlung, dem Warten auf den Abend.

Wenn wir mit den Kindern in Städte fuhren, die wir von früher kannten (Florenz, Venedig, Paris), ließ sich so gut wie nichts heraufbeschwören von den Reisen, die wir zu zweit dorthin unternommen hatten.

Einmal, es war in einer Einkaufsstraße in Marseille, hast du bemerkt, wie ein Mann einer Frau im Vorbeigehen an den Hintern fasste. Du bist losgerannt, hast ihn durch die Menge verfolgt und ihn zur Rede gestellt. Ich lief dir mit den Kindern hinterher. Aus der Entfernung war euer Anblick zum Lachen. Ein sehr großer Mensch, der einem sehr kleinen gegenübersteht. Plötzlich zog der kleine Mann ein Messer. Du wirktest nicht erschrocken, eher genervt, fast ein wenig gelangweilt, und nach ein paar Augenblicken hast du dich wortlos abgewandt und bist mit uns davongegangen. Der Mann lief noch lange neben uns her. Er hatte etwas von einem bissigen Pinscher. Das Messer in der Hand, beschimpfte er dich.

Die Kinder waren in Tränen ausgebrochen. Trotzdem versöhnte mich der Vorfall. Er erinnerte mich an etwas. Er erinnerte mich an deine Ruhe in unserem ersten Sommer, in der Mensa der Universität.

Ich mache Ferien, wann ich will, hattest du gesagt.

Er erinnerte mich auch daran, dass du und ich aus einer

anderen Welt kamen. Diese andere Welt existierte nicht mehr. Es war eine *alte* Welt. Und dass wir immer noch nicht an die neue gewöhnt waren.

Hattest du wirklich gedacht, du würdest die Ehre einer Frau retten? Hattest du geglaubt, so einen Typen belehren zu können? Einen *vollkommen Fremden*?

Der verdammte Süden, sagtest du abends zu mir, als wir auf der Klappcouch der Ferienwohnung lagen.

Dann fahren wir nächstes Jahr in den Norden, sagte ich.

Aber wir waren schon zu müde für Scherze.

Es ist eben einfach vorbei, sagtest du und drehtest dich zur Seite, weg von mir.

Was denn, fragte ich. Was ist vorbei?

Na, die Zeit des Reisens. Man kann nur noch wie blöd herumfahren.

Mit dem wütenden Pinscher oder dem Messer hatte es nichts zu tun, aber was das Reisen anging, hattest du recht. Im Grunde ging es nicht mehr. Es war vorbei mit dem Tourismus. Er würde schon bald als eine kurze Phase erfolgreicher Verdrängung gewertet werden. Ein historischer Zeitabschnitt, der nicht sehr lange gedauert hatte, ein paar Jahrzehnte nur, und der das zwanzigste mit dem einundzwanzigsten Jahrhundert verband. Es war so: Je älter man wurde und je mehr man wusste, desto mehr sah man *hinter* den lieblichen Landschaften. Überall ließen sich Leichen, Lager oder Flüchtende erahnen, da waren die Mafia und die rechtsextreme Wählerschaft, waren alte und neue Attentate, Beutekunst, Drogenkartelle, ausgelöschte Ethnien, gestohlener Reichtum, auf Ruinen und blanker Zerstörung wieder aufgebaute Städte. Im Grunde gab es nirgendwo auf der Welt einen Landstrich, der nicht kontaminiert war von den Schrecken irgendeines Geschichtsereignisses. Es kostete Mühe, die beiden Bereiche vor dem inneren Auge getrennt zu halten, die politischen oder historischen Geschehnisse zu vergessen, während man an einem Strand lag und auf die Berge blickte (oder in ein Tal, auf einen Olivenhain, ein Dorf). Als gäbe es zwei Arten von Erinnerung, zwei Arten der Erfahrung: die aus den Nachrichten und den Geschichtsbüchern und unsere privaten. Zwei Ströme, die sich besser nicht zu nahe kamen.

Ohnehin mochten die Kinder die Ostsee lieber als die *große weite Welt*. Es war eine vertraute Landschaft. Sie entsprach ihnen – ein Meer ohne Gezeiten, ohne Bedrohlichkeit. Und hatte es mir in der Kindheit nicht auch gereicht?

So, wie ich mich bei der zweiten Geburt seltsamerweise erst kurz vorher an den Schmerz erinnert hatte, der gleich über mich hereinbrechen würde, habe ich mich oft erst im Urlaub daran erinnert, wie anstrengend es ist, vier Personen mit verschiedenen Vorstellungen, Ansprüchen und körperlichen Voraussetzungen auf ein paar gemeinsam zu verbringende Wochen zu verpflichten. Anfangs voller Freude, kommt es nach ein paar Tagen unweigerlich zu einer Art Tiefpunkt, bis sich gegen Ende alle noch einmal zusammenreißen, getragen von einer neuerlichen Welle der Euphorie, die sich der Aussicht auf die bevorstehende Heimkehr verdankt.

Zum Winteranfang fragten wir uns jedes Mal, ob es in diesem Jahr wohl schneien werde. Wie alte Leute erzählten wir uns, wie viel Schnee in unserer Kindheit gefallen war. Der Schlitten, den wir vorsorglich schon beim ersten Kind gekauft hatten und der im Keller stand, sah selbst nach Jahren noch aus wie neu.

Mit der Zeit war es zu einer immer zäheren Angelegenheit geworden, sich gegenseitig zu beschenken. Zu Beginn hatten wir uns oft außergewöhnliche Dinge überreicht: ein Grammophon, das ich auf einem Flohmarkt in Berlin gefunden hatte, einen Spazierstock mit einem Fuchskopf als Knauf, eine Sonnenbrille aus den Fünfzigern, eine schöne Polaroidkamera. Oft waren sie besonders verpackt, manchmal mit Ausflügen verbunden. Zu Beginn freute ich mich jedes Mal auf deine Freude. Später empfanden wir es mehr und mehr als eine Pflicht, ratlos suchten wir nach etwas Passendem.

Einmal wolltest du mir ein Aquarium schenken, und ich war froh, dass du nur ein Bild davon auf die Glückwunschkarte gemalt hattest, anstatt es gleich mitzubringen. Ich fragte mich, wie du nach so vielen Jahren auf den Gedanken gekommen warst, ich würde mir etwas aus Fischen machen.

Nicht wenige Paare in unserer Umgebung hatten sich inzwischen getrennt.

Beim Bäcker traf ich eine Frau wieder, die ich noch aus dem Kindergarten kannte. Ich fragte, wie es ihr gehe, und sie sagte, sie habe ihren Mann verlassen, vor ein paar Monaten schon.

Ich sagte: Ach wirklich, das trifft sich gut.

Ich weiß nicht, warum ich es sagte. Ich wollte jemanden einweihen in meine Gedanken. Offenbar schien es mir einfacher, wenn dieser Jemand eine nahezu Fremde war.

Sie beglückwünschte mich zu meinem Entschluss und sagte, ich dürfe mich nicht davon abbringen lassen. Falls ich es denn wirklich vorhätte. Dann erzählte sie, ihre Jungs dürften sich nur noch in Begleitung einer Mediatorin mit ihrem Exmann treffen. Aber auf diese quälenden Stunden hätten die beiden inzwischen keine Lust mehr.

Sie bestand darauf, dass ich mit zu ihr nach Hause kam (die Wohnung, in die sie nach der Trennung zusammen mit den Kindern gezogen war, lag gleich um die Ecke). Sie wollte mir ein Buch geben, das mir bei der *ganzen Sache* helfen werde, wie sie sagte. Jedenfalls habe es ihr geholfen.

Das Buch war ein Ratgeber und hieß »Ich verlasse dich«. Sie nahm es aus einer Tüte und sagte, sie habe es nie offen auf dem Nachttisch liegen lassen. Ich fand es merkwürdig, dass sie es noch immer in einer Tüte aufbewahrte, jetzt, wo *die Sache* doch längst hinter ihr lag. Sie schob es in die Tüte zurück und riet mir, es genauso zu machen. Versteck es auf jeden Fall vor ihm! So sagte sie es.

Es war elf Uhr vormittags, und ich fuhr nach Hause, wo ich einen Brief an dich schrieb, in dem ich erläuterte, warum ich mich von dir trennen wollte. Ich steckte den Brief in einen Umschlag und legte ihn in einen Karton, in dem ich Dinge aus meinem Leben, an denen ich hänge, aufbewahre. Tagebücher, die ich als Jugendliche geschrieben habe, Postkarten, alte Ausweise, so etwas. Ich legte ihn dort ab wie eine Waffe, die man in einem Tresor einschließt. (Eines Tages wird man sie brauchen. Man ist beruhigt bei dem Gedanken, dass es sie gibt, man fühlt sich sicherer.)

Als ich den Brief in den Karton legte, fiel mir ein Foto in die Hände. Es stammte aus dem Sommer, in dem ich dich kennengelernt hatte. Auf dem Foto war ich zu sehen, in einem Badeanzug am See.

Ich erschrak. Ich erschrak, weil ich erkannte, wie füllig ich gewesen war. Aber vor allem erschrak ich darüber, dass ich es *vergessen* hatte. So also hattest du mich kennengelernt?

Das Foto ließ dich in meinem Ansehen steigen. Was hatte dich angezogen an dieser rundlichen Frau? Dass du dich für mich entschieden hattest, beschämte mich nachträglich.

Warum eigentlich liebtest du mich, oder besser: Warum *hattest* du mich geliebt? Mir fiel auf, dass ich von deinen Beweggründen nichts wusste. Ich meine nicht die Gründe, die man sich gegenseitig sagt. Ich meine die Gründe, die man sich *nicht* sagt, weil man sie vielleicht selbst nicht kennt.

Und da, als ich das Foto in der Hand hielt, fiel mir plötzlich etwas ein. Mir fiel ein, dass du in demselben Sommer, als du mit dem Vanilletee vor meiner Tür gestanden hast, beinahe deinen Vater verloren hättest. Es war keine schöne Geschichte, und du hast sie mir erst viel später erzählt, in Paris, als wir auf dem beinlosen Sofa lagen und

Bier aus riesigen Flaschen tranken. Du sagtest es selbst so: Keine besonders schöne Geschichte. Du hattest deinen Vater in seiner Wohnung gefunden. Er hatte Schlaftabletten genommen. Du hattest ihn dazu gebracht, sie wieder auszuspucken. In den Wochen und Monaten danach hast du dich um ihn gekümmert. Du hast ihn besucht, Termine bei Ärzten gemacht. Oft kamst du von ihm, wenn du mich besucht hast. Und manchmal bist du in irgendeine Klinik gefahren, wenn du am nächsten Tag gingst.

Der braune VW Jetta gehörte ihm.

Es war derselbe Sommer.

Bis dahin hatte ich diese beiden Dinge nie in einen Zusammenhang gebracht.

Erst jetzt, als ich den Brief schrieb und in den Karton legte, ging es mir auf. Nach so vielen Jahren. Ich dachte, dass für dich dieser Sommer vermutlich etwas anderes gewesen war als für mich. Ganz sicher war es so. Du hattest dir diesen unseligen, traurigen Sommer mit meiner Anwesenheit versüßt. Und dann warst du geblieben.

Ich zerriss den Brief, den ich an dich geschrieben hatte.

Den Ratgeber, er war noch immer in die Tüte gewickelt, nahm ich am nächsten Tag mit in den Kindergarten, wo ich ihn in das Garderobenfach legte, das dem Kind der Bekannten gehörte. Sie hatte mir gesagt, welches Symbol an dem Fach klebte.

Es ist das mit der Sonnenblume, hatte sie gesagt. Such einfach nach der Sonnenblume.

Jetzt bereue ich es, den Brief zerrissen zu haben. Ich würde ihn gern lesen. Aber zu der Zeit dachte ich, meine Gründe, die Argumente und Vorwürfe würden mir auf ewig im Gedächtnis bleiben. Dass es nichts ausmachen würde, wenn ich ihn zerrisse. So oft hatte ich über alles nachgedacht. Genauso war es mit den Monologen auf dem kleinen Balkon, meinen Reden an niemanden, spätabends in der Dunkelheit, wenn ich die Straße hinunterblickte und sie mir immer wieder vorsagte. Ich war überzeugt, ich würde sie nie vergessen. Es stand mir klar vor Augen, wie ich vorgehen wollte. Schritt 1, Schritt 2, Schritt 3.

Es ist anders gekommen.

Ich weiß kaum mehr etwas davon, außer dem: dass ich die Absicht hatte, dich zu verlassen. Das Wichtigste war, es dir gleich zu sagen, schärfte ich mir ein. Dass ich keine anderen Worte dazwischengeraten lassen durfte. Ich musste es sagen, bevor du etwas anderes sagen würdest. So dachte ich mir das. So denke ich es mir.

Auf jeden Fall musste man selbst der Akteur bleiben, ein handelnder Mensch. So behielt man die Kontrolle, bevor etwas anderes, viel Schlimmeres passierte. Etwas, das einem entglitt, das außerhalb jeder Kontrolle lag. Bevor man überwältigt würde von Zerrissenheit, Zweifeln, von irrationalen, unklaren Gedanken und es für immer zu spät wäre, sollte man einen Augenblick großer Hellsicht nutzen.

Wenn man aus einem fahrenden Zug springen will, muss man den richtigen Zeitpunkt abpassen, damit man nicht stürzt. Man muss sich rasch entscheiden. Einen Moment zu lange überlegt, und es ist zu spät. Dann bleibt als Möglichkeit nur noch die Flucht nach innen, wieder hinein in den Waggon.

Aber stimmt das Bild? Nimmt eine Beziehung Fahrt auf, je länger sie dauert? Ist sie nicht eher ein Schleppnetz, in dem mit den Jahren immer mehr hängen bleibt und das vor lauter Prallheit irgendwann zu reißen droht? Hat man nicht *davor* Angst? Dass all die Einzelteile wegtreiben, dass sie eins nach dem andern verloren gehen in den Weiten des Ozeans, der die Zeit ist?

Aber das alles sind bloß Bilder, Vergleiche. Die Wahrheit liegt nicht in Bildern oder Vergleichen. Sie liegt im Körper des anderen, seiner Anwesenheit, seiner Stimme, seinem Geruch.

Allmählich wurde die Wohnung voller. Manchmal denke ich an die Hunderte von Dingen, die Tag für Tag durch meine Hände gegangen sind. So viel haben wir angeschafft. Wir haben Nuckel und Decken und Ranzen angeschafft, Laufräder, Drachen und Ritterburgen, Fahrräder, Faschingskostüme und Schulhefte, Taschen, Trinkflaschen, Röcke und Strumpfhosen und Sporttrikots, Plüschtiere und Bälle, Pullover, Hosen, Winterjacken und Sommerblousons, Badeanzüge und Schwimmreifen, Puzzles, Bücher, Puppen und Puppenkleidung, Puppenstuben und Möbel für die Puppenstuben, Stifte und Malblöcke, Tuschkästen und Knete, Haarschmuck, Tischtennisschläger und Murmelbahnen … Ich mochte es, dass mein Leben an Dinge gebunden war. Die Dinge stimulierten mich. Sie tun es noch immer. Sie treiben mich an. Wenn ich sie mir anschaue, sie aussuche und schließlich kaufe, fühle ich mich sekundenlang geborgen.

(Menschen, die im Leben nur mit zehn Dingen auskommen, sind mir nicht geheuer. Unheimlich sind sie mir, diese Dingverteufler. Sie wähnen sich frei und unbeschwert. In Wahrheit sind sie Bindungsgestörte, die genauso fixiert sind, bloß spiegelverkehrt.)

Weil ich jeden Tag Umgang mit den Dingen hatte, sie wegräumte, wusch, einordnete, sortierte, entstaubte oder an ihren Platz zurückstellte, wurden sie beinahe zu Herzensdingen. Um jeden Pulli, jedes Spiel, das ich aussortierte, tat es mir leid: Wieder war Zeit vergangen. Ich gab Erinnerungen weg. Wenn wir Sperrmüll vors Haus stellten und ich später am Abend sah, dass sich jemand daran zu schaffen machte, hätte ich ihn am liebsten erschlagen. Ich hatte den Eindruck, er vergreift sich an meinem Leben. Wie konnte dieser Mensch Latten aus meinem Lattenrost brechen, den kleinen Hocker wegtragen, von dem die Farbe abblätterte? Ich war erleichtert, wenn ich auf einem Foto einen Kinderschirm, ein bestimmtes Paar Turnschuhe oder eine Haarspange wiedersah. Sie waren in Sicherheit! Manches habe ich tatsächlich in Kisten gelegt, die ich im Keller deponierte. Ich sehe sie mir nicht an, aber es ist gut zu wissen, sie sind noch da.

Man erinnert sich an den Anfang, und man erinnert sich an das Ende. An die Hauptsache, die Zeit dazwischen, erinnert man sich kaum. Oder so, wie man sich an eine Vielzahl von Farben erinnert, an ein Farbgemisch. Was übrig bleibt, ist ein Wechsel von Sonne und Regen, von Gelächter und Stille, von Dumpfheit und Freude.

Ich schlief viel. Abends ging ich oft schon mit den Kindern ins Bett. Sie waren inzwischen schon ein wenig zu alt, um beim Einschlafen begleitet zu werden, und wunderten sich.

Die Wohnung, in die wir zogen, war größer als die vorherige. Alles wurde mit den Jahren größer. Anfangs hatten wir in einem Bett geschlafen, das 1,20 m breit war, dann waren es 1,40 m, woraus 1,60 m und später 1,80 m wurden. Offenbar ist die Bedingung fürs Zusammenbleiben, dass man abrückt voneinander.

Die Kinder mochten die neue Wohnung weniger als die kleine enge, in der sie ihre ersten Jahre verbracht hatten. (Sie schwärmten von der Gemütlichkeit darin, verschwommene Bilder trieben durch ihre Erzählungen, die sie für ihre eigenen Erinnerungen hielten. Dabei erzählten wir am Frühstückstisch nur oft genug davon.) Sie hatte einen langen Flur, und der hintere Bereich, der zum Badezimmer führte und stets im Dunkeln lag, blieb ihnen lange unheimlich.

Für mich wurde das Bad zu einem Rückzugsort. Eine behagliche Zelle des Alleinseins, in der es alles gab, was ich brauchte. Am liebsten wäre ich ganz und gar in die Badewanne gezogen, hätte mich dort für alle Zeiten eingenistet. Während ich im längst lauwarmen Wasser trieb, las ich ein Buch, schaute ich mir einen Film an. Danach kam mir die Wohnung noch kälter vor.

Es erstaunte mich immer noch, wie zwei, drei, vier Menschen mit unterschiedlichen Vorstellungen, Körpern und Gewohnheiten in einem Gehäuse zusammenleben konnten. Ich sah Kugeln vor mir, die nachts über den Köpfen eines jeden von uns schwebten, schwere, schillernde Traumkugeln, nicht zu deuten für einen Außenstehenden, nur sinngebend für uns selbst.

Oft stellte ich den Wasserkocher an, damit sein Getöse die Geräusche von dir und den Kindern übertönte.

Langweilige Sonntage, an denen wir Ausflüge machten, die Kinder von den Bildschirmen weg und nach draußen trieben, Erinnerungseinschüsse an unsere eigene Kindheit, in der wir *ständig* im Wald gewesen waren, *dauernd* mit anderen Fußball gespielt und *immer* mit irgendwelchen Kindern auf dem Spielplatz herumgetobt hatten.

Manchmal herrschte ich eins der Kinder an. Du wundertest dich. Ich wunderte mich auch. Warum herrschte ich eins der Kinder an, dachte ich, wo ich doch eigentlich dich anherrschen wollte?

Wenn du nicht da warst, blieb alles ruhig. Es war, als wollte ich die guten Momente mit ihnen für mich allein haben.

Die Zeit, der Ort, die Umstände, unter denen eine Liebe gedeiht oder verhindert wird – sind sie wichtig oder nicht? Hin und wieder beglückwünschte ich mich, dass wir nicht in den fünfziger oder sechziger Jahren lebten. Ich war nicht dein Anhängsel. Ich konnte gehen, jederzeit. Unser Zusammensein gründete nicht in der Erfüllung irgendwelcher gesellschaftlichen Konventionen. Dann wieder erschien mir eine Zeit äußerer Zwänge und Bevormundungen vorteilhaft: In einer solchen Zeit weiß man, dass die Verantwortung für das eigene Unglücklichsein ein anderer trägt. Nun, in der Welt totaler Freiheit, war es bloß noch eine Privatangelegenheit, und zwar *meine*. Es schien mir unendlich leichter, nach Freiheit zu *streben,* als darin zu *leben*.

Vielleicht ein Ausdruck von Feigheit. Wäre es mir lieber gewesen, *du* hättest mich über die Schwelle gestoßen?

Schließlich hättest du mich verlassen können. Du wolltest es. Ich bin mir sicher. Manchmal denke ich, du hast es nur deshalb nicht getan, damit ich das hier schreibe. Als ergäbe etwas bloß einen Sinn, wenn es erzählt wird. Sogar dann, wenn das Erzählte dem Erlebten nur ungefähr entspricht.

Ich wurde mir selbst fremd. Unsere Geschichte fand nur noch in meinem Kopf statt. Alles *Schöne* tat ich mit dir in Gedanken. Manchmal bat ich dich in Gedanken sogar um Entschuldigung. Ich sagte: Ich liebe dich. Ich strich dir über die Brust, den Rücken, dein Geschlecht. Ich rückte nachts an dich heran. Ich verzieh dir. Ich sagte, wir vergessen alles, ohne dass ich wusste, was dieses *alles* bedeuten sollte, ich redete von Unbefangenheit …

In Wirklichkeit konnten wir nicht mal mehr reden, wenn wir nebeneinander im Auto saßen. Ein jeder in seine bitteren Sehnsüchte vertieft, sahen wir durch die Frontscheibe. Mit einem Mal mochte ich es nicht mehr: ich neben dir auf dem Beifahrersitz.

Einmal verfuhren wir uns. Es war in der Nähe der polnischen Grenze, in einer Gegend ohne Empfang. Du sagtest, ich solle in die Straßenkarte schauen und uns zur Autobahn lotsen. Ich schaute auf die Straßenkarte. Aber ich lotste dich nicht zur Autobahn, sondern über lauter holprige Straßen in eine noch unbekanntere Gegend. Ich wollte dich ärgern, deshalb verkehrte ich die Richtungen. Du hast dich tatsächlich geärgert.

Ich wurde immer ungeschickter in Bezug auf dich. Als ich dich auf eine Kollegin ansprechen wollte, mit der du ein gemeinsames Projekt übernommen hattest, fiel ich gleich mit der Tür ins Haus: Und was wird mit uns? Wie stellst du dir die Zukunft vor?, fragte ich dich, und du sagtest (erstaunlich schnell, als hättest du meine Gedanken sofort erraten): Was soll sein, erinnere dich, ich habe mich für uns entschieden.

Aber es klang grauenhaft. Es klang ungefähr wie: Meine Hinrichtung ist auf morgen früh festgesetzt.

Als dein Handy einmal spätnachts aufleuchtete, erschrak ich wie bei einem Feueralarm. Und wenn du mir beim Nachhausekommen erzähltest, wo du gewesen warst, hörte ich aufmerksam zu. Als müsste ich eine Geheimsprache entschlüsseln, versuchte ich herauszufinden, was die Wörter »Büro«, »Besprechung«, »Umtrunk«, »Premiere« bedeuteten. Ich nickte und prägte mir die Namen ein, die du erwähntest. Alles wurde Bestandteil einer unsichtbaren Akte, würde irgendwann, *später*, einer Beweisführung dienen.

In regelmäßigen Abständen brachtest du Blumen mit, schöne Sträuße, von dir selbst zusammengestellt. Du hast sie in Vasen drapiert und den passenden Standort in der Wohnung ausgewählt. Auf diese Weise wirkte es nie so, als hättest du sie extra für mich gekauft. Trotzdem wurde mir jedes Mal angst und bange. Die ausladenden Sträuße waren Angebote zur Wiedergutmachung, schien es mir, heimliche Opfergaben, mit denen du Abbitte leisten wolltest. Ihre leuchtende Pracht auf dem Küchentisch sollte eine Schuld übertünchen, deren konkretes Ausmaß ich mir nicht vorstellen mochte.

Die Sträuße entsprachen den verräterischen Flecken, von denen mir vor langer Zeit eine Bekannte erzählt hatte. Es war noch im Studium gewesen, und manchmal hatten sie und ich uns zufällig im Studentenclub getroffen, und dann hatten wir was getrunken. Eines Abends hatte sie mir erzählt, sie habe gerade mit ihrer Freundin Schluss gemacht, weil diese sie betrügen würde. Ich bin ihr auf die Schliche gekommen, sagte sie mit einem dämonischen Lächeln, und als ich fragte: Wie denn, vertraute sie mir flüsternd an, ihre Freundin bekomme nach dem Sex rote Flecken im Gesicht. Am Nachmittag war sie unangemeldet bei ihrer Freundin aufgetaucht, die ihr die Tür geöffnet und mit Unschuldsmiene erklärt hatte, ja, natürlich sei sie allein zu Hause. Aber es war schon zu spät. Ich brauchte keine Fragen zu stellen, sagte meine Bekannte, ich konnte den Verrat in ihrem Gesicht *sehen*.

Auch ich habe keine Fragen gestellt. Ich war nicht versessen auf Einzelheiten. Ich wusste, welche Wirkung du auf Frauen hast. Ich weiß es, ich habe es oft erlebt. Momente, die nur ich bemerke. Du brauchst keine Show abzuziehen. Du stellst nur Fragen. Oft sind es komplizierte, persönliche Fragen, und die Frauen sind überrascht. Sie fühlen sich herausgefordert.

Manchmal hast du beim Nachhausekommen viel – auf eine glückliche, aufgeregte Art – geredet, das schien mir Beweis genug. Aus welchem Grund sollte ich etwas genauer erfahren wollen? Was *nützt* es, fragte ich mich.

Noch etwas anderes fällt mir ein, nach so vielen Jahren.

Ungefähr zur selben Zeit, als die Bekannte mir von den Flecken ihrer Freundin berichtete, hörte ich in einem Seminar über feministische Literatur eine weitere Geschichte, in der es um Verrat und eine Freundin ging. Die Dozentin erzählte von einer Frau, die sich über Jahre hinweg unzähligen Behandlungen am Auge unterzogen hatte, weil sie immer schlechter sehen konnte. In Wirklichkeit, erläuterte die Dozentin, wollte sie nicht mitansehen müssen, dass ihr Ehemann sie betrog. Sie hat lieber strapaziöse Untersuchungen und furchtbare Eingriffe in Kauf genommen, als der Wahrheit ins Auge zu blicken, sagte sie vorwurfsvoll, als säße die Frau mit im Raum. Ihr Wille zum *Ausblenden* war so stark, dass sie schließlich erblindete, ohne dass die Ärzte je eine organische Ursache für diese Erblindung hatten feststellen können.

Die Geschichte war mir monströs erschienen. Aber wenn ich genauer darüber nachdenke, erschien mir vor allem die Tatsache monströs, dass die Dozentin uns davon erzählte.

Verriet sie uns damit nicht eine geheime Strategie? Einen Zauber, dessen Wirkung nachließ, wenn man jemandem davon erzählte? Die Selbstzerstörung der Frau tat mir leid – ganz bestimmt sogar –, gleichzeitig drückte sich in ihrer eingebildeten Krankheit ein ungeheurer Wille zur Liebe aus. Ich verstand sie, diese *eingebildete Kranke*. Ich verstand, wie sie handelte. In meinen Augen kämpfte sie einen heroischen Kampf, in dem es darum ging, wer den längeren Atem hatte: sie oder die Wahrheit.

Damals, als ich die Geschichte hörte, kannte ich dich erst eine kurze Zeit, aber ich glaube, ich war überzeugt, auch ich wäre fähig zu so einem Kampf. Dass ich die Geschichte der Frau *deshalb* verstand.

Aber solche Dinge weiß man nie vorher. Man weiß es hinterher – wenn es so weit ist.

Mir kamen immer neue Varianten in den Sinn. Wenn ich dich missgelaunt oder traurig sah, dachte ich, dass du vielleicht gar nicht meinetwegen missgelaunt oder traurig wärst, sondern längst wegen einer anderen Frau, mit der dich seit Jahren etwas verband, ein ähnliches Auf und Ab wie mit mir.

Ich war, von ferne, die Zuschauerin deines Lebens.

Dass du immer noch ein Geheimnis für mich warst, fand ich schön, ein Beweis, dass es darum ging, dich zu entdecken. Ein Beweis für die Liebe.

Ich zwang mich, dir großzügiger zu begegnen. Reichte mir denn all das nicht? Und für den Bruchteil einer Sekunde konnte ich denken: Die prächtigen Blumen (die roten Flecken), gerade das ist vielleicht das Menschlichste an uns, die Gewissenbisse und Ausflüchte, die Beteuerungen und Selbsttäuschungen, der Wille, nein, nicht den anderen zu hintergehen, sondern ihn und sich selbst nicht zu verletzen. Dieser immerwährende Versuch, alles heil zu lassen.

Vorsichtig zu sein. War es nicht so?

Schließlich darf man nichts überstürzen. Ich dachte an die Novelle »Mario und der Zauberer« von Thomas Mann, die ich als Jugendliche in der Schule gelesen hatte. Darin heißt es: »Soll man ›abreisen‹, wenn das Leben sich ein bisschen unheimlich, nicht ganz geheuer oder etwas peinlich und kränkend anlässt?« Nicht, dass mir das Buch etwas bedeutet hätte. Trotzdem wusste ich noch immer die Stelle auswendig, an der der Erzähler sich selbst die Antwort gibt: »Nein doch, man soll bleiben, soll sich das ansehen und sich dem aussetzen.« Das war noch nicht alles, es ging noch weiter, aber der onkelhafte Nachsatz war mir immer besonders unangenehm gewesen: »Gerade dabei gibt es vielleicht etwas zu lernen.«

Ich weiß nicht, ob ich etwas *gelernt* habe während der Jahre mit dir. Und selbst wenn – wo, in welcher Situation könnte sich dieses Wissen anwenden lassen? Ich weiß nicht, ob sich Leute Gedanken darüber machen, ob sie Fortschritte machen im Leben, *in der Liebe*, sich überhaupt die Frage stellen, ob sie gern oder ungern leben. Es gibt so viel zu tun, jeden Tag. Man lebt, man macht, was einem vertraut ist. Ist es nicht so? Man folgt vertrauten Pfaden. Das gibt den meisten Menschen Sicherheit.

Im Sommer ging ich abends mit dem jüngeren Kind zum See, die Badestelle lag ganz in der Nähe. Das Ufer war schon schattig, nur noch wenige Leute schwammen im Wasser. Auf der kleinen Liegewiese lagen leere Chipstüten und Tetrapacks, die Überreste des Tages. Ich saß auf einem Baumstumpf zwischen den Bäumen, das Handtuch wie eine Zofe im Schoß, und winkte dem Kind. Es zeigte mir Handstand und Rolle rückwärts. Blesshühner schwammen ins Schilf. Am Ufer gegenüber leuchtete die Kuppel einer prächtigen Villa, und ich dachte: Was für ein Glück. Wie viel Glück man haben kann.

In meinen Augen hatten wir noch etwas Zeit. Als folgte unsere Geschichte einem Plan, den es zu erfüllen galt. Sie war noch nicht beendet, unser Vorrat an zukünftigen Erinnerungen noch nicht *vollständig aufgebraucht*.

Rückblickend fallen mir Hunderte Momente ein, die geeignet gewesen wären, dich zu verlassen. Ich habe es nicht getan. Es ist mir nicht möglich gewesen.

Jemanden zu verlassen heißt: Ich verlasse meine Vergangenheit. Zögert man deshalb? Wer will schon gern ohne Geschichte leben? Vielleicht hat man auch Angst, dass unter dem Akt der Zertrümmerung eine Vielzahl anderer Geschichten zum Vorschein kommt, andere Versionen, die man besser nicht gekannt hätte.

Ich glaube, ich habe gezögert, weil ich mir über deine mögliche Reaktion unsicher war. Würdest du es akzeptieren? Wahrscheinlich wärst du erleichtert, dachte ich, wenn ich endlich aus deinem Leben verschwand. Oder hoffte ich, du würdest mich zurückhalten? Aber das war ein lächerliches Spiel – zu hoffen, dass jemand auf die Knie fällt, damit man bleibt, während man selbst nichts anderes will als zu verschwinden.

Man lebt schlecht, wenn man Angst davor hat, allein zu leben, habe ich neulich eine Frau in einem Film sagen hören. Ich hatte keine Angst vor dem Alleinsein, nie. Womöglich war ja auch alles viel einfacher und wir waren nur deshalb noch immer zusammen, weil wir uns noch immer liebten. Was weiß man schon, über sich, die eigenen Absichten, den anderen.

Weit weg von dir, auf Reisen, kam mir unser Leben schillernder vor, wuchs meine Nähe zu dir. Ich hatte dann jedes Mal das Gefühl, ich müsse dir den EINEN Brief schreiben, in dem alles steht, was wir nie ausgesprochen hatten. Offenbarungen, Vorsätze, ein Schwur. Aber ich schrieb immer nur an jemand anderen.

Etwas, was auch mit dem Alleinsein zusammenhängt: Auf einem Übersetzerkongress in Madrid lernte ich eine Frau kennen, eine Deutsche, die schon seit vielen Jahren in Spanien lebte. Davor hatte sie lange Zeit in Freiburg gearbeitet, an der Universität. Eines Tages war sie dort in ihrem Büro umgekippt, inmitten von Büchern und Stapeln von Kopierpapier. Als sie wieder zu sich gekommen sei, erzählte sie, habe sie gewusst, dass sie so nicht mehr weiterleben könne. Sie hatte ihren Freund verlassen und war eine lange Zeit ganz allein durch Jordanien gereist, durch den Jemen und weite Teile Nordafrikas. Sie war eine schlanke Person, lebendig und voller Energie. Ihre Geschichte beeindruckte mich. Es war ihr anzumerken, dass sie alle Angst überwunden hatte. Sie war eine unabhängige Frau. Aber dann, ganz plötzlich, empfand ich Mitleid mit ihr. Ihr Kampf, der vielleicht noch immer andauerte, hatte sie gleichzeitig sehr ernst werden lassen.

Ihre Unabhängigkeit stimmte mich traurig.

Ich wollte nicht allein verreisen, allein wohnen, allein essen, allein mit meiner Arbeit sein. Die Tatsache, *alles* allein zu schaffen, erschien mir wie eine Kriegsbeute.

Ich dachte an die Zeilen in einem Gedicht von Edna St. Vincent Millay: *Frei sein ist nichts: ich wollt, ich wäre dein.*

War das Schwermut? Ja, ich wurde schwermütig. Unsere Geschichte erschien mir groß. Zu groß fast. Ich wusste nicht, ob ich zu so etwas überhaupt fähig war, ich hatte keine Wörter, um über sie zu sprechen, um zu dir zu sprechen, mit dir. Keine Wörter mehr zu haben habe ich immer als *das Ende* empfunden.

Ich wurde krank. Du warst besorgt um mich. Das machte mich glücklich, obwohl ich so krank war. Die Ärztin, zu der ich regelmäßig ging, nahm mir Blut ab. Die Untersuchung ergab, dass meine Werte besorgniserregend waren. Das Ergebnis erleichterte mich. Es bestätigte, dass ich mich zu Recht krank fühlte. Die Ärztin sagte, man müsse die Werte im Auge behalten. Sie wirkte genauso besorgt wie du. Sie riet mir, im Park spazieren zu gehen. Ich schaute sie entgeistert an, und sie senkte den Blick. Ich war ihr nicht böse. Ich war ja genauso ratlos wie sie.

Zwei oder drei Winter lang spendierte sie mir einen speziellen Impfcocktail gegen die Grippe. Vielleicht wollte sie sich mit dieser Geste dafür entschuldigen, dass sie mein Kranksein nur begleiten konnte, anstatt es aus der Welt zu schaffen. Ich hatte den Eindruck, ihr wäre wohler gewesen, wenn ich sie in gesundem Zustand aufgesucht hätte.

Einmal, es war ein schöner Frühlingstag, rief sie in meinem Beisein einen befreundeten Neurologen an. Sie gehen da jetzt sofort hin, befahl sie mir danach in erschrockenem Ton.

Da ich eine eingeschobene Patientin war, musste ich lange in seiner Praxis warten. Vom Wartezimmer aus sah man über die Dächer der Stadt, den Springbrunnen unten auf dem Platz, ein paar Touristen.

Gleich beim Hereinkommen hielt der Arzt mir eine Kleenexbox hin, und ich schämte mich, weil ich so durchschaubar war. Ich konnte ihm keine originellere Reaktion anbieten, als in Tränen auszubrechen. Auch zu meinem Zustand fiel mir nicht mehr ein als die Floskel, ich säße in einem schwarzen Loch. Er fragte nach meiner Beziehung. Ich hatte Mühe zu sprechen. Während ich nach Worten suchte, konzentrierte ich mich auf die an der Fensterscheibe befestigte Sichtblende hinter ihm. Genau diese Art von Jalousie hing bei uns seit langer Zeit schief und unbrauchbar vor der unteren Hälfte des Küchenfensters. Die Akkuratesse, mit der diese hier befestigt war, steigerte meine Verzweiflung noch.

Ich wich seinen Fragen aus. Meine Sätze klangen sogar für mich verrätselt, wie die eines Orakels. Ich hatte den

Eindruck, es wäre Verrat, wenn ich mit ihm über dich und mich spräche. Als gäbe ich unsere Geschichte preis.

Zum Schluss gab er mir ein Rezept mit. Er sagte, die Tabletten würden mein seelisches Gleichgewicht wiederherstellen. Durch eine automatische Tür gelangte man von der Praxis direkt in die Apotheke. Die Packung war weiß und blau, auf dem Weg nach Hause warf ich sie weg.

Mein kranker Körper war allem und jedem im Weg, vor allem mir selbst. Ich wusste nicht mehr, ob er und ich Rivalen oder Komplizen waren. Was ich wusste: Er war gewiefter als ich. Er etablierte einen Abstand zwischen dir und mir, den ich unter normalen Umständen nicht gewagt hatte zu etablieren.

Unter normalen Umständen.

Ich gewöhnte mich an die Schmerzen, den Druck auf der Brust. Ich gewöhnte mich daran, erschöpft zu sein.

Tagsüber legte ich mich nur ins Bett, wenn es keiner sah. Wenn es Zeit war, die Kinder abzuholen, von der Schule, einem Geburtstag, irgendeinem Training, stand ich auf. Mein Entsetzen, wenn du sie sanft aus der Wohnung bugsiert hast, damit *ich mich erholen kann.* Du führtest sie weg, wie man jemanden vor einer kleinen Naturkatastrophe, einem Gewitterregen, einer tagelangen Dürre, in Sicherheit bringt.

Ich hörte das vergnügte Lärmen der Stimmen im Treppenhaus und dachte, dass ich nur Zeit vergehen lassen müsse.

Die Zeit verging. Sie verging tatsächlich.

Ich fühlte mich schuldig. Der Gedanke, ihr würdet die Familiengeschichte für eine Weile ohne mich erzählen, schien die Ausweglosigkeit nur zu vergrößern.

In jener Zeit träumte ich, wir wären in einem dieser neu gebauten Luxuskinos, zu viert saßen wir nebeneinander, jeder in einem breiten Ledersessel, bei dem sich die Füße hochfahren ließen. Der Film begann, und ich merkte, dass ich im Liegen schrecklich müde wurde. Ich schlief ein, und dann wachte ich wieder auf. Der Film war längst zu Ende. Ihr machtet euch lustig über mich, fandet es komisch, dass ich den Film verpasst hatte, und ich ärgerte mich, dass ich meine Müdigkeit nicht besser vor euch hatte verbergen können.

Irgendwann spürte ich, dass mein Kranksein nicht mehr dieselbe Wirkung auf dich hatte. Die Unveränderlichkeit meines Zustands ging dir auf die Nerven. Das verstand ich. Mir ging es genauso. Ich erwähnte mein Kranksein nicht mehr so häufig. Die Medikamente ließ ich nicht mehr in der Küche liegen. Ich versteckte sie, manchmal so gut, dass ich selbst danach suchen musste. Ich behielt es für mich, wenn ich bei dieser oder einer anderen Ärztin gewesen war.

Ich zog von Praxis zu Praxis.

Einmal sah ich bei einem der Arztbesuche eine Bekannte. Sie hatte vom Weinen gerötete Augen. Als ich sie ansprach, erzählte sie, sie habe schon seit Wochen einen heftigen Schnupfen. Halb verschämt setzten wir uns weit voneinander entfernt, jede in eine andere Ecke des Wartezimmers. (Bestimmte Tiere ziehen sich zurück, wenn sie krank sind, oder sie werden gemieden von den anderen Mitgliedern des Rudels.)

Wenn ich in einer der Kabinen saß und auf die Schwester wartete, die mir Blut abnehmen würde, dachte ich voller Verwunderung, dass du in diesem Moment woanders warst, in deinem Büro, auf einer Tagung, beim Mittagessen mit einer Kollegin.

Aus Höflichkeit hast du dich weiterhin danach erkundigt, wie es mir geht. Deine Höflichkeit rührte mich. Sie rührte mich zu Tränen. Beinahe alles rührte mich zu Tränen. Manchmal fing ich schon an zu weinen, wenn ich dich nur ansah. Ich weinte, wenn ich mit dem Fahrrad ins Büro fuhr, am Schreibtisch, beim Essenkochen, manchmal schon beim Aufstehen. Das Weinen wurde zu etwas Alltäglichem. Jeden Tag eine fröhliche Beerdigung. Wenn ich mit den Kindern lachte, weinte ich auch. Einmal dachte ich: Fast ist mein Weinen ein *einvernehmliches*, und für ein paar Sekunden munterte mich das Wort auf.

Ich wusste, mein Weinen würde aufhören, wenn ich mich nicht mehr so an die Liebe hängen würde. Ich nahm es mir vor. Täglich versprach ich mir selbst, nichts mehr von der Liebe zu erwarten. Ich sagte mir, dass man sein Herz verhärten müsse.

Du liebtest mich inzwischen auf eine abgeklärte Weise.

Es war, als müsste ich mich entscheiden zwischen dir und mir. *Naturgemäß* wählte ich mich, aber ich tat es resigniert, voller Verzweiflung. Ich erholte mich tatsächlich.

Dass der Preis meiner Gesundheit in der Entfernung zu dir bestand, machte mich traurig. Ich fand es schade. Ich finde es noch immer schade. Wie ein Kind wollte ich das Unmögliche: verglühen und zugleich unverwundbar sein.

(Später, als es mir nicht mehr so schlecht ging, vermisste ich meine Krankheit manchmal wie eine gute Freundin. Etwas, das man sehr gut kennt, das nur mir allein gehört hatte. Jahrelang waren wir ein eingeschworenes Team gewesen, meine Krankheit und ich. Sie war für dich eingesprungen, als Ersatz für unsere Liebe.)

Wir stumpften auf eine gute Art gegeneinander ab, was hieß: Wir verlangten weniger voneinander. Nicht nur ich wurde gesünder, auch unser *Verhältnis*. Wir räumten die Wohnung um, kauften eine große Fotografie fürs Wohnzimmer, strichen die Küche. Die Zeit des Offiziersskats und der Halma-Spiele war lange vorbei. Trotzdem schafften wir einen Spieltisch an. Er war sechseckig und mit grünem Filz bezogen, ein richtiger Pokertisch mit Aussparungen, in die man Whisky-Gläser stellen konnte.

Zu der Zeit trieb mich weniger dazu, dich zu verlassen. Ich dachte weniger über uns nach. Ich dachte, ich sollte meine Kraft für etwas anderes aufsparen. Ich schaute unserem Zusammenleben zu, wie man Figuren in einem Beckett-Stück zusieht: ein wenig gelangweilt, aber auch amüsiert, wenn man es richtig zu nehmen weiß.

Die Kinder waren gern zu Hause. Zwar waren sie oft abwesend, wenn sie anwesend waren, aber das störte mich nicht. Jedes in seiner Ecke mit einem elektronischen Gerät, hingen sie ihren Gedanken nach. Anfangs verdammten wir die Handys und die *neuen Medien*, aber nur halbherzig. Irgendwann gaben wir auf. Wir ließen sie gewähren, es bedeutete Ruhe. Und hatte es nicht auch etwas Versöhnliches, wie sie da saßen, in einer anderen Welt, und auf ihre Bildschirme starrten? So hatte ich als Kind gemalt, so hatte ich, in ein Buch vertieft, gesessen und gelesen, in einem konzentrierten Traum, während in der Küche das Geschirr geklappert hatte. Jetzt waren wir, du und ich, diejenigen, die den Geschirrspüler aus- oder einräumten und uns mit einem kurzen Blick ins Wohnzimmer der friedvollen Szenerie versicherten.

Manchmal benutzte ich die Kinder, um in die Vergangenheit zu reisen, in deine und meine.

Ich versuchte, sie zu überzeugen. Man muss doch wissen, wie und wo seine Eltern früher gelebt haben, sagte ich, während ich ihnen die Anoraks hinhielt. An einem regnerischen Nachmittag fuhr ich mit ihnen zu der Wohnung, die meine erste eigene gewesen war.

Es war die Wohnung mit dem alten schwarzen Telefon, auf dem du mich angerufen hattest, um mich zu fragen, ob ich Vanilletee mag. Und in die du dann Abend für Abend wiedergekommen warst, den ganzen ersten Sommer lang. Das Viertel lag nicht weit weg, man konnte mit der Straßenbahn hinfahren, trotzdem war ich seit jener Zeit nicht mehr dort gewesen.

Ich hätte besser nicht hinfahren sollen. Wie trostlos es war. Ich hatte vergessen, *wie* trostlos. Inzwischen nannte man diese Art von Häusern Sozialbauten. Die Kinder staunten über die vielen hohen Wohnblöcke, die alle gleich aussahen.

Also, ich würde mich hier verlaufen, sagte das Jüngere und griff nach meiner Hand.

Wir begegneten nur wenigen Menschen, sie wirkten in sich gekehrt. Rauchend führten sie ihre kleinen, stämmigen Hunde durch den Nieselregen. Mir kam es vor, als wäre aus der Gegend alles Leben entwichen.

Dann standen wir vor dem Wohnblock, einem grauen Betonklotz, dessen Seitenwände in einem schrecklichen Weinrot gestrichen waren, und ich zeigte fast verstohlen hinauf zum sechsten Stock. Wie klein und schäbig der Balkon aussah, auf dem wir, du und ich, unter der Markise gesessen und das Buch von Georges Perec gelesen hatten. Jetzt blickte man von dort oben auf eine umzäunte Brache.

Oh, rief ich, sie haben den kleinen Einkaufsmarkt abgerissen!

Die Kinder nickten verständig. (Wie brav sie ihre Mission erfüllten.)

Es war ein ungemütlicher Tag und ein ungemütlicher Ort, und wir fuhren bald wieder zurück. Als verließen wir eine unheimliche Zone, atmeten die beiden auf.

Schöner Ausflug, sagte das ältere Kind, als wir wieder vor unserem Haus standen, am anderen Ende der Stadt. Ich schloss die Haustür auf und dachte erstaunt, dass das hier *ihre* Welt war, eine Welt aus prächtigen Mietshäusern, beinahe Villen, mit Rhododendronbüschen davor, Golden Retrievern in den Straßen und einem Fluss, auf dem hin und wieder ein Dampfer vorbeizog. Und dass diese Welt, obwohl ich doch schon so lange darin lebte und mich jeden Tag daran erfreute, mir immer ein wenig fremd geblieben war. Auf eine bestimmte Weise fremd, wie eine Kostbarkeit, der man misstraut, die man einfach nicht fassen kann. Während die andere, weitaus hässlichere Welt, die, in der ich dich kennengelernt hatte und in der ich schon so viele Jahre nicht mehr lebte, mir trotz ihrer Trostlosigkeit immer noch vertraut war.

Und dann dachte ich: Das also ist die Spanne, in der mein Leben passiert ist, das Leben mit dir.

Wir kauften einen kleinen Garten mit einem winzigen Häuschen darin. Er lag in einem anderen Viertel. Ich fuhr mit dem Fahrrad quer durch die Stadt, vorbei an neuen Bürogebäuden und ehemaligen Kasernen, die zu exklusiven Wohnhäusern umgebaut worden waren. Auf dem Weg hörte ich mit Kopfhörern übers Handy den Nachrichtensender im Radio. Es war wirklich zum Staunen: Die Welt drehte sich noch immer, und zum wiederholten Mal hatte ich das Gefühl, du und ich, wir wären die Überbleibsel aus einem anderen Jahrhundert.

Einen Winter lang las ich Handbücher. Ich lernte in der Theorie, wie man Gemüse anbaut, Kompost herstellt und Apfelmus macht. Ich kaufte in exklusiven Versandhäusern einen Kartoffelkorb aus Drahtgeflecht, hölzerne Pflanzstäbchen, eine kleine Schaufel, einen Fugenkratzer. In meiner Kindheit waren das gewöhnliche, wertlose Gegenstände gewesen, jetzt kosteten sie so viel, dass es zum Lachen war.

Du mochtest die Vorstellung, einen Garten zu haben, aber nicht die Arbeit darin. Hin und wieder habe ich dich gebeten, den Rasen zu mähen. In großer Eile hast du den Rasenmäher über das Stück Wiese geschoben. Du tatest mir den Gefallen, gleichzeitig wolltest du deinen Widerwillen nicht verbergen. Wenn am Wochenende die Kinder mitkamen, langweilten sie sich. Sie liefen über frisch Gepflanztes, zupften Blütenblätter von den Sträuchern, fragten schon nach wenigen Minuten, wie lange sie noch bleiben müssten, oder beschwerten sich über den fehlenden Internetempfang.

Ich stellte mir vor, wir würden uns auf der Klappliege lieben, die im Gartenhäuschen stand, oder ich würde mich dort mit einem anderen Mann treffen. Die meiste Zeit aber dachte ich an nichts. Ich entfernte eine Efeuhecke, pflanzte zwei Rispenhortensien, grub den Giersch aus, der in jedem Frühjahr neue unterirdische Rhizome bildete. Beim Jäten und Gießen beeilte ich mich, um rechtzeitig wieder zu Hause zu sein.

(Jetzt, da ich mich wieder in dem Garten hantieren sehe, fällt mir Camus ein, sein Text über Sisyphos, der angeblich glücklich sei. Sisyphos weiß, dass alles Tun vergeblich ist und ohne Sinn, aber er bleibt *dennoch* tätig. Dieses *dennoch* hat mich nie ganz überzeugt. Jedes Mal, wenn ich mich daran erinnere, denke ich: Es klingt eher nach der Trotzreaktion eines Kindes als nach einem philosophischen Argument.)

Im vierten Gartenjahr starb der Klarapfelbaum ab. Ich ließ ihn fällen und setzte Johannisbeerbüsche an die Stelle.

Im Spätsommer brachte ich voller Stolz ein paar Blumen mit nach Hause.

Der Anblick der von Unkraut überwucherten Beete enttäuschte mich. Ich legte mich auf die Hollywoodschaukel. In einiger Entfernung erstreckte sich eine Reihe sehr hoher Pappeln. Sie rauschten. Die Natur regte mich nicht auf und beruhigte mich nicht. Ich versuchte, das Leben, das ich führte, zu genießen. (*Dennoch!*) Ich sah das Gelände von oben. Ein Garten neben dem anderen. Und in jedem ein Mensch, der wie ich in den Himmel blickte, aus seinem Gedankenkarree hinauf.

Manchmal hast du mich von der Arbeit aus angerufen, dann fühlte ich mich ertappt. Du machtest mir keinen Vorwurf. Muss herrlich sein, sagtest du. Im Hintergrund zwitscherten die Vögel. Der Frosch ist wieder da, antwortete ich. Ich glaube, es sind sogar zwei.

Ich hatte den Eindruck, unsere Sätze seien eine Geheimsprache. Wir verschleierten etwas mit ihr, gleichzeitig drückte sie eine Wahrheit aus.

Die Unvermeidlichkeiten des Zusammenlebens. Die bekannten Vorwurfsketten. Wer hat zuletzt das Bad benutzt? Wer bringt das Papier runter oder holt Getränke? Wer die Mütze verbummelt hat, muss sie auch bezahlen! Das Schwimmzeug gehört auf die Leine!

Der Reigen aus Anschaffung und Entsorgen, Einkaufen, Säubern und Wegschmeißen.

Wir richteten Kinderzimmer ein, und als es Zeit dafür war, räumten wir das Kindliche wieder aus. Wir verwandelten Doppelstockbetten in Jugendbetten, machten aus Spielzeugschränken Kommoden für Jeans und T-Shirts, ersetzten Basteltische durch Schreib- und Computertische.

Zuerst waren die Kinder klein gewesen und hatten im selben Zimmer geschlafen. Dann wurden sie älter und wollten lieber für sich allein sein.

Jeder von uns wollte mit den Jahren lieber für sich allein sein.

Beim Nachhausekommen war man froh, wenn sich der Wohnungsschlüssel ganz herumdrehen ließ. Das bedeutete, man hatte noch ein paar Minuten für sich.

Am Montagmorgen jedes Mal ein Aufatmen. Wie nach überstandener Prüfung gingen wir jeder aus dem Haus und in eine andere Einrichtung davon, mit dem Auto, dem Rad, der Straßenbahn, zu Fuß.

Wir spielten unser Leben, aber es war kein unangenehmes Leben. Alles war an seinem Platz.

Ich nahm wieder Kontakt zu ehemaligen Schulkameraden und zu einer Freundin aus Kindertagen auf.

Die meisten von ihnen hatten sich von ihren ersten Partnern getrennt, lebten allein oder in zweiter oder sogar dritter Ehe. Insgeheim freute es mich, die Zusammenfassungen ihrer üblen Erfahrungen zu hören: Gerichtsverhandlungen, Mediationen, blanker Hass, Termine beim Jugendamt, langwierige Scheidungsprozesse, strapaziöse Wechselmodelle für die Kinder, Aufenthalte in psychosomatischen Kliniken, erneute gerichtliche Auseinandersetzungen, erbitterte Kämpfe um den gemeinsamen Hund, sogar Morddrohungen. Ihre Erzählungen gaben mir für einen kurzen Augenblick das Gefühl, wir wären noch immer das Liebespaar des Jahrhunderts.

Dabei war es mir peinlich, wenn ich erwähnte, wie lange wir schon zusammen waren. In ihrer Gegenwart schien die Länge unserer Beziehung ein Ausdruck von Schwäche zu sein. Ich erriet ihre Gedanken: Mit rechten Dingen kann das jedenfalls nicht zugehen.

Du hattest nichts übrig für derlei Wiedersehenstreffen. Du wolltest nichts wiederaufleben lassen. Von der Vergangenheit hast du nie etwas Gutes erwartet, im Gegenteil. Es regte dich auf, wenn Leute die schlimmen Dinge in einem milderen Licht sahen, nur weil Zeit vergangen war.

Es muss bloß ein bisschen Zeit vergehen, sagtest du wütend, und schon vergessen die Leute, *wie* schlimm es war, *wie sehr* sie etwas gehasst haben.

Du konntest es nicht fassen, dass man eine Lehrerin, unter der sämtliche Schüler gelitten hatten, zu einem Klassentreffen einlud. (Sie hat mir den Deutschunterricht vermiest! Sie hat mir alle Hoffnungen auf ein Studium genommen! Sie hatte ganz offenbar Spaß daran! Und nun soll ich neben dieser Siebzigjährigen sitzen und die Frage beantworten, was aus mir geworden ist?)

Ich bewunderte dich für diese Haltung. Du warst der einzige Mensch in meiner Umgebung, der der Anziehungskraft der Vergangenheit zu widerstehen schien, der wir Übrigen früher oder später alle erlegen waren.

Einmal, es ist noch nicht sehr lange her, hast du mir erzählt, du habest dich überraschend auf einem Super-Acht-

Film entdeckt. (Du warst immer noch ein wenig perplex.) Du hattest ihn bei einer Recherche über die Demonstrationsbewegungen im Herbst 1989 in einem Archiv gesichtet. Er war inzwischen digitalisiert worden und dauerte nur ein paar Sekunden. Eher ein Filmschnipsel als ein wirkliches Dokument. Du hast ihn mir gezeigt. Ich kniff die Augen zusammen, und tatsächlich – das dort warst du, ganz eindeutig, auf einer Demonstration für Reformen im Land (was zu diesem Zeitpunkt verboten gewesen war). Du bist etwas abseits des Zuges gegangen, aus dem ein Spruchband ragte ... mit langen Haaren, in einer Lederjacke.

Wirklich witzig, sagte ich, und du sagtest, ja, witzig.

Ich liebte dich dafür, dass du mit niemandem darüber gesprochen hast. Damit meine ich, du hast es nicht verheimlicht, aber du hast es den Leuten auch nicht unter die Nase gerieben. *Dafür* liebte ich dich.

Aber dann gab es andere Gelegenheiten, bei denen es um die Vergangenheit ging, und ich liebte dich ganz und gar nicht.

Als ich dir erzählte, eine Frau habe mich ausfindig gemacht und behauptet, wir hätten denselben Vater, fandest du das nicht halb so beunruhigend wie ich. Ich spürte, wie übertrieben du meine Recherchen fandest, wie sinnlos meine Überlegungen. Sie waren dir regelrecht zuwider.

Nehmen wir an, es stimmt. Und dann, wohin soll all das führen? Das fragtest du mich.

Du fragtest mich auch: Was nützt es, etwas aufzuwühlen, was danach nie mehr zu glätten ist? Warum in toter Materie stochern?

Der Ausdruck verblüffte mich, obwohl ich dich schon so lange kannte. Aber was jemand von der Vergangenheit hält, wie er sie *sieht*, weiß man erst nach Jahrzehnten.

Ich verstand. Zu dir brauchte ich in dieser Angelegenheit nicht zu kommen. Dabei hätte ich es wissen müssen. Schließlich bist du auch ungerührt geblieben, wenn es dich selbst betroffen hat. Über die Halbschwester, die *du* hattest, gab es offenbar nicht mehr zu sagen als die bekannten Fakten. Es hatte da dieses Mädchen gegeben, hübsch, quirlig, sportlich – wie alle in deiner Familie. Hin und wieder war sie aufgetaucht, ein Wesen, das wie ein Phantom durch das Reich deiner Kindheit gestreift war, bevor es für immer in den Tiefen der Zeit verschwand. Eine Art von Verwandtschaft, die dir nichts zu bedeuten schien. Außerdem: Wer wusste es schon so genau? Vielleicht stimmte es, aber vielleicht stimmte es auch nicht, dass du verwandt mit ihr warst. Millionen von Männern zeugen Kinder, jeden Tag, sagtest du, und ich nickte. Vielleicht stimmte es ja tatsächlich nicht.

Wir verfolgten die Sache nicht weiter. Kurz darauf reiste ich zusammen mit den Kindern in die USA, genauer gesagt nach Ohio, wo ich an einer Universität unterrichten sollte. Im Trubel der Reisevorbereitungen und während der Monate im Ausland verlief unsere Diskussion im Sande. Das ganze Vorkommnis, die Frau, meine Halbschwester, und vielleicht auch deine wurden zu Episoden, die in eine andere Zeit gehörten. Sie störten die Gegenwart, und ich verbannte sie in die hintere Region meines Gedächtnisses, wo sie sich erst viele Jahre später bemerkbar machten.

Ich wurde vorsichtiger, wenn ich dir etwas erzählte, das mein früheres Leben betraf. Meine Verblüffung verwandelte sich in Misstrauen. Vielleicht warst du deshalb so kühl bei diesem Thema (dem Thema der plötzlich auf- und wieder abtauchenden Geschwister, der verschwiegenen Kinder), weil du etwas zu verbergen hattest. Was du sagtest, hatte auf einmal nichts Unschuldiges mehr. Überall hörte ich deinen Verrat heraus. In diesen Geschichten erkannte ich *dein* Vergehen, *dein* Geheimnis. Du wurdest in meiner Wahrnehmung zu einem Mann, der wie alle anderen Männer war, mit einem Leben, zu dem ich keinen Zugang hatte und dessen Einzelheiten mich eines Tages zugrunde richten würden.

(Ich habe eine schnelle Auffassungsgabe, wenn es darum geht, etwas Neues zu erlernen, eine Sprache, bestimmte Abläufe etc. Aber wenn es um mich selbst geht, um uns, bin ich sehr langsam. So habe ich erst nach Jahren verstanden, dass ich dich für etwas verdächtigt habe, was du möglicherweise gar nicht getan hast. Vielleicht. Ich *wollte* mich in dem Glauben wiegen, das, was ich dir unterstellte, wäre ein Hirngespinst. Nein: Ich wiege mich noch immer darin.)

Immerhin ließ sich deine abwehrende Haltung, was das betraf, als Neuigkeit verbuchen. Ich sagte mir, seine Weigerung, darüber zu reden, ist ein Zug, den ich bislang nicht an ihm gekannt habe, etwas, das ich bislang noch nicht wusste über ihn. Immerhin.

Manchmal warst du so gut gelaunt, dass ich Angst bekam. Ich wagte nicht, dich nach dem Grund zu fragen. Irgendwas, eine Frau, ein Telefonat, musste diese Freude in dir entfacht haben. Ich jedenfalls konnte es nicht gewesen sein.

Es wurde wieder schwieriger zwischen uns. Aber in gewisser Hinsicht wurde es auch leichter.

Ich schrieb einem ehemaligen Schulfreund. Auf dem Gymnasium waren wir ein Jahr zusammengewesen. Inzwischen wohnte er wieder in der Nähe und war öfter in der Stadt. Ich war nicht anders als die meisten Menschen. Die meisten Menschen denken, die Vergangenheit berge etwas Unschuldiges, Unverbrauchtes. Sie sind überzeugt, dort gebe es eine bessere Variante unserer selbst, die nur darauf warte, von uns zurückerobert zu werden.

Das Café, in dem wir uns trafen, hatte er vorgeschlagen. Schon beim Hereinkommen sah ich, dass er eine lächerliche Jacke trug. Es war eine Art Trachtenjacke, sie war vermutlich ironisch gemeint. Ich schämte mich ein wenig, als ließe seine Kleidung Rückschlüsse auf meinen damaligen Geschmack zu. Sein Lächeln war noch immer charmant, und ich versuchte, mich auf sein Gesicht zu konzentrieren. Aber da er sich die Haare abrasiert hatte (oder war er einfach nur kahl geworden?), fiel mir auch das schwer.

Wir unterhielten uns, und nach einer Weile zeigte er mir Fotos von seinen Kindern, sogar von seiner Frau. Dass er mir Fotos von seinen Kindern und seiner Frau zeigte, fand ich taktlos.

Während er redete, fragte ich mich, ob du anderen Frauen auch Fotos von mir zeigst. Ich war mir sicher, du erwähnst mich mit keiner Silbe.

Die Frau sah scheußlich aus. Aber ich sah inzwischen ja genauso scheußlich aus. Ich hatte in den Jahren unseres Zusammenseins so viel übers Verlassenwollen nachgedacht, dass ich eine *böse Aura* davon bekommen hatte. Ein Monster, dem der Wille zur Zerstörung ins Gesicht geschrieben steht – so was sieht niemand gern an.

Kein Wunder also, sagte ich mir, dass er mir diese Fotos unter die Nase hält. Ich nehme an, in seiner Not wusste er sich nicht anders zu helfen. Er muss genauso erschrocken über meinen Anblick gewesen sein wie ich über seinen.

Nach dem Bezahlen sagte er geheimnisvoll, er wolle mir im Hof des Cafés etwas zeigen. Ich folgte ihm. In dem Hof war es dunkel. Ein paar Tische und Bänke standen gestapelt unter einer Plane. Er deutete auf den Baum in der Mitte. Offenbar war der Baum in bestimmter Hinsicht einzigartig – in welcher, habe ich vergessen. Er redete, und ich begriff, dass er mir tatsächlich nur den Baum zeigen wollte.

Wir hören nicht auf, im Sumpf der Vergangenheit nach einem Goldklümpchen zu fischen. Dabei habe ich mir immer eingebildet, es zu wissen: Man darf nicht an etwas anknüpfen wollen, das weit zurückliegt. Man darf nicht erwarten, dass die Zeit verrückte Überraschungen für einen bereithält. Ich wusste: Für die Verrücktheiten muss man selbst sorgen. Aber dann halten einen alle für verrückt.

Als ich nach Hause kam, hattest du Nudeln gekocht.

Ich aß den Rest direkt aus dem Topf, geschäftig kratzte ich darin herum, damit das Geräusch meine Ratlosigkeit übertönte.

Nie unversöhnt in den Schlaf, hatte ich früher zu den Kindern gesagt, wenn sie sich kurz vor dem Zubettgehen noch gestritten hatten. Wenn ich dann später selbst im Bett lag, dachte ich: Und nie unversöhnt in den Tod.

An diesem Abend schnürte mir der Gedanke, du könntest an jemand anderes als an mich denken, wenn du einmal im Sterben lägst, die Brust zu. Und noch eine andere Vorstellung ängstigte mich: dass das letzte Bild, das dir vor Augen stünde, mein gleichgültiges, abschätziges Gesicht wäre und dein letzter Atemzug ein Fluch gegen mich.

Die Pubertät der Kinder hatte uns wieder näher zusammengeführt. Wir warfen uns vielsagende Blicke zu, wenn bei einem Telefonat gekichert oder beim Nachhausekommen stumm gelitten wurde, wir amüsierten uns über die Gewohnheiten der *Jugend*. Wie kundig sie psychologisches Vokabular verwendeten, schon mit zwölf, dreizehn Jahren diagnostizierten sie ihre Leiden oder fanden Therapien für sich. Sie schienen uns allwissend und ahnungslos zugleich. Als das ältere Kind auf dem Gymnasium war, stellten sich ein paar der neuen Mitschülerinnen mit ihren sexuellen Neigungen vor (pan, bi, homo, trans). Im Klassenchat wurden hin und wieder neue Identitäten verkündet. Und beim Schreibwettbewerb der Schule gewann ein Junge mit einer Phantasie über einen Jungen im Rollstuhl, der seinen Physiotherapeuten liebt.

Wir freuten uns, dass ihr Unglück, das sie wie alle später im Leben empfinden würden, nicht daher rühren konnte, dass sie als Jugendliche ihre Phantasien und Vorlieben in ihrem Innersten verbergen mussten. Von dort jedenfalls schien keine Gefahr zu drohen.

Vermutlich, dachten wir, würden wir ihnen das Geheimnis, in dem sie sich vor uns verkriechen könnten, noch selbst liefern müssen.

Dennoch, und gleichsam wie nebenbei, war ich noch immer auf der Suche nach dem richtigen Zeitpunkt. Angefacht von Tageslaunen, schlechten Nachrichten oder Langeweile loderte die Möglichkeit, dich zu verlassen, gewohnheitsmäßig in mir hoch. Ich bin mir sicher, dass es so war. Es muss sichtbar gewesen sein, denn eines Tages bat mich das ältere Kind, das inzwischen alt genug für solche Beobachtungen war, dass du und ich nicht auseinandergehen. In ruhigem Ton erklärte es mir, dass wir es besser verschieben sollten, falls wir vorhätten, uns zu trennen. Offenbar kam ihm nach eingehender Prüfung der Sachlage ein Auseinandergehen unvorteilhaft vor.

Dann fügte es an, es wolle auf keinen Fall einen *mental breakdown* erleiden.

Ich war erstaunt über das Wort. Sagen das alle Teenager so?, fragte ich.

Keine Ahnung, antwortete es, aber einen *mental breakdown* wegen der Trennung ihrer Eltern hätten ganz sicher erlitten: Joshua, Emilia, Theo, Antonia, Sophie, Ben, Sophie 2 und Henry.

Ich sagte: Keine Sorge, wirklich, mach dir keine Sorgen. Aber ich sagte nicht: Tun wir nicht. Oder: Haben wir nicht vor. Ich sagte bloß das: Keine Sorge.

Insgeheim war ich froh. Als hätte ich einen Aufschub für uns rausgeschlagen.

Manchmal dachte ich auch: Jemanden zu verlassen will geübt sein. Und wen hatte ich in meinem Leben denn schon verlassen? Ich habe Übergänge immer verabscheut. Schwellen. Sie machen mir Angst. Dabei weiß ich es besser. Kaum bin ich darüber hinweg, atme ich auf.

Wenn wir nicht von Erfolgen oder einem dramatischen Misserfolg berichten konnten, schwangen wir uns abends kaum noch zu Erzählungen darüber auf, was wir tagsüber erlebt hatten.

An missmutigen Abenden fragten wir uns, welche Chancen wir in beruflicher Hinsicht verpasst hatten und was eventuell noch aus uns werden könnte. Wir nahmen es dem anderen übel, sich nicht gut genug zu verkaufen, und fingen an, uns gegenseitig Projekte oder Tätigkeiten vorzuschlagen, die uns ins Zentrum der Aufmerksamkeit katapultieren würden.

Du kannst noch immer deine Doktorarbeit zu Ende schreiben, sagtest du, und ich antwortete, dass ich nicht erkennen könne, inwiefern dir *deine* Doktorarbeit im Leben etwas nütze.

Die Zukunft ödete uns mehr an, als dass sie uns ängstigte. Wir fanden es ein bisschen ungerecht, dass der jungen Generation so viele Türen offenstanden. Studiengänge, Berufsfelder, *fluide Arbeitswelten*, die damals, zu unserer Zeit, noch nicht existiert oder von denen wir keine Ahnung gehabt hatten.

Eine Zeit lang spielten wir sogar mit dem Gedanken, Deutschland zu verlassen. Aber es fiel uns kein Land ein, wo es besser ist. Dass sich so viele Menschen für Skandinavien begeisterten, wollte uns beiden nicht einleuchten.

Im Grunde haben sie dort einfach nur mehr Platz für ihr Hinterweltlertum als anderswo, sagtest du.

Nirgends auf der Welt schien noch ein Abenteuer auf uns zu warten. Eines Morgens zeigtest du mir mit verschlafenem Gesicht, dass der linke Badelatschen an derselben Stelle gebrochen war wie der alte, den du erst vor einem Jahr entsorgt hattest.

In den Nächten träumte ich viel. Ich freute mich auf den Schlaf wie auf ein Rendezvous mit einem unbekannten Mann.

Dabei hätte ich gern Sehnsucht nach *dir* gehabt. Mich nach dir *verzehrt*.

Ich fand es schade, dass ich dir bereits als Studentin begegnet war, und fragte mich, wie es wäre, dir erst jetzt zu begegnen. Ich stellte es mir aufregend vor. Wie wenig man voneinander weiß, wenn man einander erst spät im Leben kennenlernt! Ich hätte es vorgezogen, dass du mein Liebhaber bist und nicht der Mensch, mit dem ich den Alltag teile. Einem Liebhaber gibt man sich auf verruchte Weise hin. Im Niemandsland eines Hotelzimmers, in einem Auto, das auf einer abgelegenen Raststätte parkt, offenbart man sich *furchtlos*. Und hinterher beichtet man einander weit Zurückliegendes, Geheimnisse, abwegige Dinge. Man redet über die Kindheit, von Träumen, den eigenen Schwächen, fast wie beim Psychotherapeuten.

Wärst du mein Liebhaber gewesen, hätte ich dir vielleicht von etwas erzählt, an das ich sehr lange Zeit nicht gedacht hatte, das mir neuerdings aber immer öfter einfiel. Ich hätte dir erzählt, dass ich früher, in meiner Jugend, einen Soldaten vom Selbstmord abgehalten hatte. Es war in der kleinen Stadt passiert, in der ich aufgewachsen war, einer Garnisonsstadt in Mecklenburg. Der Anblick von Soldaten war dort nichts Ungewöhnliches, vor allem nicht am Wochenende, wenn sie ein paar Stunden Ausgang hatten. Sie waren überall, überstanden mithilfe von Alkohol die *böse, vergeudete, tote Zeit* in dieser abgeschiedenen Gegend, aus der sie nicht wegkamen. Es war nach einer Kinovorstellung gewesen (eine frühe Abendvorstellung – das Kino war der Ort, an dem man sich ständig aufhielt, aus Langeweile oder weil es zu kalt war, um länger draußen zu sein), er lief mir nach, verzweifelt. Seine Verzweiflung war so groß, dass ich Angst bekam, mir war nicht klar, was er wollte, vom Leben, von mir, aber dann war es mir doch klar. Ich bot ihm meinen dürren Mädchenkörper an, dabei redete ich, ich redete sehr lange, so holte ich ihn ins Leben zurück. Das hätte ich dir vielleicht erzählt, wenn du mein Liebhaber gewesen wärst. Dass die Verzweiflung dieses Fremden mir eine ungekannte Macht gegeben hatte und ich, ausgestattet mit dieser Macht, danach zu jemand anderem geworden war. Dass ich manchmal eine verrückte Sehnsucht danach hatte, in den Ort meiner Kindheit zu fahren, in dem das geschehen war, und durch die geraden, öden Straßen zu gehen, in denen es inzwischen nichts mehr gab, was an mich erinnerte.

Solche Sachen.

Der Soldat war eine von vielen Figuren, die mir immer häufiger in den Sinn kamen. Vor allem, wenn ich schrieb, dachte ich daran. Er war Bestandteil eines Universums, das von Personen bevölkert wurde, die nicht du waren. Personen, denen ich vor langer Zeit und oft nur sehr kurz begegnet war und von denen du nichts wusstest. Nicht, weil ich sie vorsätzlich vor dir geheim gehalten hätte. Es fiel mir schwer, von ihnen zu erzählen. Kurze Szenen, Bilder, versprengte Momente, die aufzuckten und denen ich hinterherblickte wie Sternschnuppen am Himmel. Trotz ihrer Flüchtigkeit hatten sie mit der Zeit an Bedeutsamkeit gewonnen. Ja, inzwischen nahmen sie in meiner Erinnerung einen ebenso großen Raum ein wie du. In gewisser Weise waren sie immer dicht neben mir, auf der anderen Seite des Bettes, und ich kehrte dir den Rücken zu, um sie in Ruhe zu betrachten.

Früher hatte ich mich manchmal mit den Kindern gelangweilt. Ich hatte das Gefühl gehabt, die Zeit würde nicht vergehen. Aber das stimmte nicht. Die Jahre vergingen sehr schnell. Mittlerweile war mein Groll aus den Jahren, als die Kinder klein waren, verflogen. Aus Gewohnheit berührten du und ich uns trotzdem nur noch selten. Es war, als hätte mein Körper ein längeres Gedächtnis, was Lust oder Unlust betraf, als mein Kopf. Als wäre er, der Körper, *unversöhnlicher.*

Das Küssen wurde zu einem Akt des guten Willens. Zärtlichkeiten passierten höchstens aus Versehen. Wie Teenager brauchten wir einen Vorwand, um uns anzufassen. Als ich bei einer Feier nach drei Gläsern Wein in einer Bar leicht schwankte, hast du mich halb im Scherz stützend in den Arm genommen und mich einen Waldweg hochgeschoben.

Inzwischen gingen wir häufiger zu Beerdigungen als tanzen. Die Konzerte, die wir hin und wieder besuchten, waren Konzerte von Bands, die uns früher, in *unseren jungen Jahren,* begeistert hatten. Alles Kulturelle, das wir in der Gegenwart erlebten (Musik, Filme, Theater, Bücher, Ausstellungen), glichen wir mit dem ab, was uns in der Vergangenheit intensiv berührt oder beschäftigt hatte.

Meistens unternahmen wir diese Ausflüge mit Bekannten, die das genauso sahen. In Gesellschaft anderer fand ich uns noch immer großartig. An Silvester oder auf Grillabenden bei Freunden vergaßen wir, dass wir uns schon lange nicht geküsst hatten, und küssten uns plötzlich. Wir standen da, lachend, ein Glas in der Hand, und dann hast du dich mitten in einem Gespräch zu mir heruntergebeugt und mich auf den Mund geküsst.

In der Öffentlichkeit fiel uns leicht, was uns allein, das heißt zu zweit, unmöglich war.

Durch die anderen hindurch erkannte ich dich besser. Ich konnte wieder sehen, wer du warst. Oft hielt dieser Zustand auf dem Nachhauseweg an, und ich hörte dir mit Vergnügen zu, wenn du deiner Wut mal wieder Luft machtest.

Diese verdammten Geisteswissenschaftler wollen einfach nie richtig was trinken, sagtest du. Stattdessen nippen sie an ihren winzigen Biergläsern oder, noch schlimmer, an irgendeinem prämierten Wein und empfehlen sich gegenseitig Artikel, die sie in den einschlägigen Zeitungen gelesen haben. Sie plaudern, aber in Wahrheit liegen sie auf der Lauer. Beständig checken sie ihr Gegenüber. Sie checken, wer ihnen beim nächsten Projektantrag nützlich sein könnte und wer nicht.

Ich hakte mich bei dir unter und schloss die Augen. Für Momente war ich mit der Welt, mit uns im Reinen.

Vieles, was wir in der Kindheit, ja noch in der ersten Wohnung mit den Händen gemacht hatten, übernahmen jetzt Geräte. Wir hatten einen Geschirrspüler, ein elektrisches Fußmassagegerät, ein Massagegerät für den Nacken, wir hatten elektrische Zahnbürsten, eine Heizdecke und sogar einen Heizschuh (meine ständig kalten Füße). Zum Geburtstag oder zu Weihnachten schenkten wir uns gegenseitig Gutscheine fürs Fitnessstudio, für Yogakurse und Massagen, insgeheim erleichtert, dass jemand Drittes erledigen würde, was uns inzwischen wie ein Liebesdienst am anderen vorkam.

Wenn wir in einem Film oder in einer Serie ein Paar

sahen, in dem wir uns wiedererkannten, erwähnten wir es nicht. Stattdessen analysierten wir Fehler in der Dramaturgie oder überflüssige Einfälle.

Allerdings sahen wir kaum noch Filme zusammen. Als die Kinder klein gewesen waren, hatten wir einen großen Flachbildfernseher angeschafft. Wenigstens das Zu-Hause-bleiben-Müssen sollte komfortabel sein. Später hatten wir Laptops, auf denen wir, jeder für sich, Filme sahen, ich im Schlafzimmersessel, du im Wohnzimmer, manchmal auch nebeneinander im Bett. Wir lagen da, hatten auf der Decke jeweils ein Gerät vor uns, in Höhe der Knie. Wir regten uns auf, wenn sich unter den Tausenden Filmen, die zur Auswahl standen, *nichts Anständiges fand.*

Wir sahen viel häufiger Sex im Fernsehen oder Kino, als wir selbst welchen hatten. Ich empfand es als Zumutung, die jedes Mal viel zu lange dauerte: Die Menschen dort, Schauspieler, vögelten und knutschten, während ich dasaß und wartete, dass sie endlich vorbei waren, diese entbehrlichen Szenen, die mich an irgendetwas erinnern wollten. Die Vorwürfe auslösten oder eine Sehnsucht entfachten, die kein Leben, und sei es noch so lang, jemals würde stillen können.

Wie viele Hunderte, Tausende Filme ich vergessen habe. Es wird mir immer ein Rätsel bleiben, warum man bestimmte Dinge im Gedächtnis behält und andere nicht. Es ist ungerecht, dass man sich nicht an das Gleichmaß der Tage erinnert, an das Broteschmieren und die Kindersachen auf der Leine, die kleinen Unfälle des Alltags, Fieber, verlorene Mützen, an die Gemütlichkeit, wenn wir abends auf der Couch saßen und irgendeine Sendung sahen. Als wären diese Dinge nichts wert.

Das Unglück ist nicht auf uns herabgestürzt, nicht über uns hereingebrochen, es ist langsam in uns eingedrungen, beinahe sanft hat es sich eingeschlichen. Wie bei den alten Griechen hatten wir ihm bewusst aus dem Weg gehen wollen und waren dabei geradewegs in es hineingelaufen. Der Mythos behält seine Gültigkeit. Vielleicht ist ja das das Deprimierende daran: Ganz gleich, was man tut, man kann dem Unglück nicht entgehen. Das Unglück, na!

Als wir in den Zwanzigern waren, hatte ich gedacht, dass ich deinen Tod nicht aushalten würde. Ich betete, dass wir, sollte es mit dem braunen VW Jetta je einen Verkehrsunfall geben, zusammen in dem Wagen säßen. In den Dreißigern hatte ich wegen der Kinder Angst vor dem Tod. Ich hoffte, im Falle einer Katastrophe bliebe einer von uns übrig. Dann begann eine Zeit, da war ich überzeugt, keiner von uns würde jemals sterben. Ich vergaß die Möglichkeit, dass du sterben könntest. Das Leben zog sich.

Jetzt dachte ich, dass ich dieses und jenes noch tun müsse, bevor es so weit wäre. Es erschien mir nicht mehr ganz so weit bis dahin. Ich war zwar noch nicht besonders hinfällig, aber ich wusste, es konnte schnell gehen. Plötzlich sinkt man auf die Couch und ergibt sich.

Nachts hatten wir abwechselnd Sodbrennen, der Sehnerv tat manchmal beim Lesen weh, die Ferse schmerzte beim Auftreten, es gab gelegentliche Geräuschattacken im

Ohr. Hin und wieder durchzuckte es mich, als hätte ich einen elektrischen Schlag bekommen, und seit den Geburten schlief es sich schlecht auf der rechten Seite. Wir wurden tatsächlich älter. Sport half, sich besser zu fühlen, aber nur für den Moment. Oft fühlte man sich danach noch ausgelaugter.

Wenn wir zum Arzt gingen, ließen wir uns meistens etwas *wegmachen*.

Manchmal erahnten wir die Behandlungen des anderen an den leeren Medikamentenschachteln, die im Bad herumlagen.

So, wie man die nötigen Vorkehrungen für einen Banküberfall trifft, hatte ich insgeheim begonnen, mein »späteres Leben« zu planen. Wenn ich Lotto spielte, dachte ich inzwischen, dass ich die Nachricht von einem Hauptgewinn für mich behalten würde. An einem faden Abend voller Unmut und Streitigkeiten würde ich entdecken, dass ich gewonnen hatte. Ich stellte mir das Doppelleben vor, das ich daraufhin führen würde, eine Wohnung, geheime Konten, eine Art Privatschatz.

Manchmal der Wunsch nach einer Katastrophe. Dass erst ein Kind sterben müsste, damit ich dich verlassen könnte.

Einmal begegnete ich dem jüngeren Kind unverhofft in der Stadt. Zusammen mit anderen saß es vor einem Imbissladen. Ich wollte unbemerkt vorbeigehen, aber es rief mir hinterher und umarmte mich sogar kurz zur Begrüßung. Die anderen sagten hallo. Es waren freundliche

Wesen in dunklen Kapuzenpullovern, und trotz des tiefen Grabens aus Jahren und Erfahrungen, der uns trennte, empfand ich eine große Zärtlichkeit für sie. Auch sie würden ihre Revolution haben, es würde Kriege in ihrem Leben geben und Naturkatastrophen, Dinge, auf die nie jemand vorbereitet zu sein schien, und so würde es immer weitergehen. Wer weiß: Vielleicht würde es sogar bald wieder heißen, dass die Zukunft etwas sei, in das man voller Freude und Zuversicht hineinwandere. So was ändert sich manchmal rasch.

Wie schon zwei oder drei Generationen vor ihnen aßen auch sie gern Pizza und Döner. Und wie alle jungen Menschen waren sie idealistisch und nicht verbittert. Von sämtlichen Beschäftigungen, denen sie sich in ihrer Freizeit überließen, erschien uns das Fernsehen als die harmloseste.

Wir hatten uns so lange nicht berührt, dass wir es kaum noch vermissten. Keiner von uns beiden schien davon auszugehen, dass wir in dieser Hinsicht vom anderen noch etwas zu erwarten hätten. Aus der anfänglichen Trauer über die fehlende Zärtlichkeit war Gereiztheit geworden. Ein kühles Bedauern ohne Tränen.

Fast war es ein Tanz. Wir vollführten Rituale.

Bevor ich mich abends auszog, wartete ich, bis du aus dem Zimmer gegangen warst.

Beim Guten-Morgen-Sagen zitierten wir ein Lächeln. Es war nicht ganz klar, was du dachtest, wenn wir uns auf dem Gang ins Bad über den Weg liefen. Leise fluchte ich. Dann standen wir mit verschränkten Armen nebeneinander vor der Kaffeemaschine und sahen zu, wie der frisch ge-brühte Kaffee in die Glaskanne lief.

Ohne dass eine besondere Absicht dahinterstand, wusch ich bestimmte Kleidungsstücke von dir falsch. (Dein Kaschmirpullover schrumpfte auf Kindergröße, die Unterhemden kamen hellgrün aus der Maschine.)

Gedankenverloren habe ich das Licht gelöscht, wenn ich einen Raum verlassen habe, obwohl du dich auch darin befunden hast.

Morgens hast du meine Hälfte des Bettes ungemacht gelassen.

Ich gab keine Antwort, wenn du aus dem Zimmer nebenan eine Frage gerufen hast.

Wenn wir in der Einkaufsstraße unterwegs waren, liefst du ein Stück vor mir. Einmal blieb ich an einem Schaufenster stehen. Erst nach einer Weile hast du gemerkt, dass ich nicht mehr da war.

Du wurdest zu einem anderen Mann, einem Fremden. Dieser Fremde produzierte ungeheure Mengen an Staub. Hattest du spätnachts über einem Text am Computer gesessen, lagen am nächsten Morgen Horden von Staubmäusen herum. Sie hockten nicht nur in den Ecken, sie bedeckten den gesamten Boden. Was da lag, war der Abfall deiner Gedankengänge, so kam es mir vor.

Wir führten keinen Rosenkrieg. Es ging um nichts, jedenfalls um nichts, das verhandelbar gewesen wäre. Bloß um die Liebe, die Zeit.

Gelegentlich, wenn ich einen Film sah oder ein Buch las, wurde mir die Welt für einen kurzen Moment wieder weit. Ganz ähnlich wie der Tod erinnerte mich auch die Kunst daran, wie engherzig meine Gedanken und Obsessionen waren, wie kleinlich meine Auffassungen. Dann sah ich die Liebe wieder vor mir. Ich wusste wieder, wozu sie da war. Nicht, dass ich es hätte ausdrücken können. Aber ich wusste es. Die erzählten Geschichten führten mir vor Augen, wie intensiv und groß und einmalig das Leben ist, wenn man liebt. Und dass ich längst Teil dieses unergründlichen, tiefen Strudels war.

Noch beim Filmegucken oder Lesen fasste ich den Plan, dich am nächsten Morgen zu berühren. Ich würde dich einfach von hinten umschlingen, was sollte schwer daran sein? Dann sagte ich mir: Nein, jetzt! Jetzt gleich! Und dann ging ich hinüber, in die Küche, wo du am Küchentisch saßest, den aufgeklappten Laptop vor dir. Doch plötzlich wusste ich nicht, wie ich es anstellen sollte. Was konnte ich sagen, wie genau sollte ich es tun? Die Realität war ernüchternd. Es kam mir unpassend vor und lächerlich, dich aus der Tiefe der Zeit heraus berühren zu wollen. *Es gab keinen Grund*. Angesichts der drei farblosen Äpfel, die in der Schüssel meinen Missmut erregten, verließ ich den Raum wieder.

Meine Anwesenheit in diesen paar Sekunden muss dir wie ein Luftzug vorgekommen sein. Unmerklich, unbedeutend, ohne jeden Sinn.

Unsere Absichten und Pläne deckten sich nicht mehr. Sie durchkreuzten sich nur noch: Wenn ich abends mit Sekt auf dich wartete, brauchtest du dringend einen Kamillentee; wolltest du morgens, wenn die Kinder aus dem Haus waren, noch ein wenig plaudern, war ich in Gedanken schon im Büro; legte ich abgeschlagen die Füße hoch, hattest du Kinokarten für den Abend. Dann kamst du früher von der Arbeit, um irgendwas zu kochen, aber ich war unterwegs, in der Annahme, du kämst später.

Wer weiß. Vielleicht ist es vorher schon so gewesen, oder es war immer schon so, und ich hatte nur nicht darauf geachtet. Aber jetzt achtete ich darauf. Fest steht: Ich war näher bei mir. Aber das hieß eben auch: Ich war weiter weg von dir. Wie es aussieht, ist die Emanzipation der Tod der Liebe.

Abends schaute ich auf die große Küchenuhr. Du warst noch nicht da, das hieß, du würdest später kommen. Aber eigentlich gab es, gibt es kein »später« mehr. Wir sagen uns nicht, zu welcher Uhrzeit ein jeder von uns nach Hause kommt. Wir brauchen es uns nicht mehr zu sagen. Das ist keine Ignoranz oder Boshaftigkeit. Wir sind eigenständige Wesen, *Individuen*. Folgt man der Logik der Diskurse, in denen ich mich seit meiner Jugend bewege, ist das der erstrebenswerte Seinszustand eines Menschen.

Für mich hat das Wort etwas Klägliches. In der Welt meiner Kindheit war ein Individuum nichts Gutes. Und selbst heute noch haftet ihm in meinen Augen etwas von einem Schimpfwort an. Mein Vater, der Offizier, hat manchmal seine Verachtung gegenüber bestimmten Personen mit diesem Wort ausgedrückt. (Wie zum Teufel ist es möglich, dass die Vergangenheit, etwas so restlos Verschwundenes wie ein kommunistischer Staat, derart weit in die Gegenwart hineinreicht?) Menschen, Einzelgänger, die sich für *etwas Besseres halten*, sich ständig *Extrawürste braten müssen*, ihrer eigenen Wege gehen, erregten in meiner Kindheit ganz generell den Zorn der Leute.

Solche Dinge vergisst man nicht. Man bleibt in ihrem Bann, wie bei einem Nachtlicht, das sanft, aber spürbar im Hintergrund weiterbrennt. Habe ich vielleicht mein Leben lang die Sehnsucht nach einem Kollektiv mit der Liebe verwechselt?

Aber vermutlich spielt es kaum eine Rolle, was in der Kindheit gegolten hat, all das, das ewige Nachtlicht. Oft ist es einfacher, als man denkt. Ich habe jedenfalls noch nie von jemandem gehört, der auf dem Sterbebett gesagt hätte: Das Beste an meinem Leben war, dass ich stets unabhängig war, ein eigenständiges *Individuum*.

Dann, endlich, irgendwann, saßen wir doch gemeinsam am Tisch. Wir redeten über unseren Tag, über die Arbeit. In unseren Gesprächen war viel von unseren Kollegen die Rede, Wörter wie Drittmittelbeschaffung und Postdoktorandenstelle und Verlagswechsel waren unsere stetigen Begleiter. Ich erwähnte, dass ich in der Buchhandlung neben meinem Büro mit dem Buchhändler gesprochen hätte. Wir redeten, als läsen wir uns das, was wir eigentlich sagen wollten, in einer schlechten Übersetzung vor, als sprächen wir in Steno.

Du sagtest: Ich habe endlich die Veranstaltungsreihe auf

die Beine gestellt. Ich habe die überzeugt, sie finanzieren sogar die Podiumsdiskussion im Mai.

In der Art ging es weiter, aber dann brachst du die Erzählung verstimmt ab, nachdem ich dich wegen eines falsch ausgesprochenen Wortes unterbrochen hatte. Ich korrigierte dich inzwischen *schamlos*.

Und deine Antworten passten nicht mehr zu meinen Fragen. Wenn ich sagte: Soll ich dem Typen von der Elektrofirma mailen?, fragtest du: Wie viel?

Sobald du die Heizung aufdrehtest, schlich ich dir hinterher und drehte sie wieder ab.

Du gingst lange nach mir ins Bett, ich stand oft vor dir auf. Es war halb fünf, und ich wanderte durch den stillen, langen Flur bis ans andere Ende der Wohnung, ins Bad, wo ich mich auf den Wannenrand setzte und zerstreut in einem Gedichtband las, der seit einem halben Jahrzehnt neben der Toilette lag. Ich schlug ihn immer auf derselben Seite auf, bei einem Gedicht mit dem Titel »Todtmoos«.

Manchmal, wenn Streit in der Luft lag, fingen wir an, die Wohnung zu putzen. Es war immer genug Staub und Unordnung da, damit die innere Wut verflog. Du hast im Abfluss der Dusche herumgestochert, ich habe den Backofen geschrubbt. Als besonders effektiv erwies sich das Ausbürsten des Läufers im Flur. Auch das Aufräumen half. Du hast einen Sack geöffnet und wahllos alles Herumliegende hineingestopft. Vieles, was mir gehörte, erschien dir als Plunder. Es war dein Feind. Wenn dir etwas aus der Hand fiel und kaputtging, was mir gehörte, hast du dem Ding die

Schuld gegeben. Immer lag dir etwas im Weg. In deinen Augen verhielten sich die Dinge heimtückisch.

Eine Zeit lang habe ich deine Vorgehensweise studiert. In gewisser Weise faszinierte mich das Muster. Ich stellte einen Schuh in die Küche, setzte mich hin und wartete ab. Eine Forscherin, die beobachtet, wie das Tier in die Falle geht. Du kamst an, dann ein Geräusch und dein wütender Ruf: Kann das weg?

Etwas war verbraucht, das sich nicht mehr so leicht ersetzen ließ. Wir waren demütiger, erschöpfter. Ein Leben jenseits großer Emotionen. Anstelle von Zornesausbrüchen gegenüber dem anderen nur das Geräusch, wenn unsere Kiefer die teuren Olivenchips aus dem Feinkostgeschäft malmten oder ein ganz bestimmter Wein laut in die Gläser plätscherte. Auch in unserem Bekanntenkreis drückte sich die Lust auf Abenteuer in immer verstiegeneren Kochrezepten aus: marinierter Rotkohl, Tannenzapfen auf dem Grill, eingelegtes Fleisch, das bei 64 Grad über Stunden gegart werden muss, japanische Küche, gefährliche Pilze, der Versuch, mit einer echten Tajine zu kochen, etc.

Deine Freunde von früher (die Gin-Tonics, die überraschenden Komplimente) gingen mir inzwischen auf die Nerven. Sie tranken noch immer sehr viel, nur dass die lustigen Sprüche zwischen den einzelnen Getränkerunden seltener geworden waren.

Kann man nicht auch getrennt sein, ohne es auszusprechen? Was ist denn das *wirkliche* Getrenntsein? Ich sehnte mich so oder so nach dir, nach der Liebe, egal, ob du fern oder nah warst. Sagen wir: So, wie wir es anstellten, in der Nah-Variante, war die Sehnsucht komfortabler.

Jeder in seiner Blase, gingen wir freundlich-gleichgültig miteinander um. Ich *wusste*, dass du der einzige Mensch bist, der mir außer den Kindern ernsthaft etwas bedeutete, aber ich konnte es nicht mehr *empfinden*.

Vielleicht ist es ein Zufall, aber auch in der Welt draußen ist allmählich alles zum Stagnieren gekommen. Mir kommt es vor, als hätten wir unsere Liebesbeziehung parallel zur Geschichte des Westens gelebt. Auch dessen Zukunft ist mit den Jahren immer stärker in einem Nebel verschwunden. Zum ersten Mal in der Geschichte der Menschheit ist die Aussicht nur noch ein Szenario verschiedener Katastrophen. Das Erstrebenswerte scheint ausschließlich in der Vergangenheit zu liegen, einer Zeit des relativen Glücks, und man bedauert, dass man es nicht damals schon begriffen hat, als sie, die jetzige Vergangenheit, noch Gegenwart war.

Hat die allgemeine Atmosphäre der allmählichen Dumpfheit und Bedrohung also möglicherweise bloß abgefärbt auf meine Gedanken? Das ziehe ich in Betracht. Möglicherweise bin ich mit meinen Vorstellungen von Trennung nur dem Zeitgeist auf den Leim gegangen und habe bloß deshalb angefangen, nichts mehr von uns zu erwarten, weil sich niemand, kein Mensch mehr, etwas von den sogenannten zukünftigen Zeiten verspricht.

Die Kinder waren groß. Schon lange schlugen wir ihnen nicht mehr vor, wie sie in allem besser werden könnten, erwarteten nicht mehr ungeduldig ihren nächsten Entwicklungsschritt. Sie verschwanden für Stunden mit Freunden oder allein in ihren Zimmern. Wir klopften an, um zu erfahren, ob sie noch lebten.

Oft blieben sie ganze Nächte und Tage weg. Frohgemut übernachteten sie bei Freunden, fuhren sie auf Ferienfahrten oder in Wochenendcamps.

Dann und wann kamen sie hereingeschneit. Ich wusste manchmal nicht genau, ob sie noch hier wohnten oder längst woanders. Hin und wieder entdeckte ich Überbleibsel ihrer Existenz, ein Kleidungsstück, ein Aufladekabel. Ich freute mich, dass es sie gab.

Ich schrieb ihnen Textnachrichten. Dabei dachte ich lange über meine Wortwahl nach, ob ich einen Emoji setzen sollte oder nicht. Einen Augenblick fühlte ich mich wie eine Frau im neunzehnten Jahrhundert, die in ihrem bürgerlichen Heim, einem kleinen Salon, unter einer Leselampe sitzt und den Geräuschen ihres Herzens lauscht. Das Leben war außerhalb von mir.

Ich hatte das Gefühl, auch deine Dimensionen veränderten sich. Du wurdest größer. Vor allem nachts hast du immer mehr Raum eingenommen. Deine Füße ragten über die Bettkante hinaus. Wie ein massiges Gebirge lagst du auf deiner Hälfte des Bettes und hast geräuschvoll im Schlaf gebebt.

Oft zog ich mitten in der Nacht um, es standen genü-

gend Zimmer zur Auswahl. Mein Kissen unterm Arm,
überlegte ich, wohin. Leise summte der Kühlschrank. Von
draußen schien das orange Licht einer Straßenlaterne herein.

Jetzt, da die Kinder häufiger unterwegs waren, kam mir
auch die Wohnung größer vor. Beängstigend groß. Ein Gefühl fast wie im Weltall. Die Dinge gingen darin verloren,
ständig war ich auf der Suche nach etwas, meinem Schal,
dem Druckerpapier, einem Ohrring. Ich trieb durch die
Räume, drehte mich ein paarmal um mich selbst, umkreiste
den Küchentisch und fand mich schließlich im Bad wieder,
wo ich vor meinem bleichen Gesicht im Spiegel erschrak.

Meine Arbeit war mir inzwischen eine angenehme Beschäftigung. Schon lange sah ich in ihr nicht mehr die Feindin,
die mich davon abhielt, mit dir zusammen zu sein. Ich
hatte mich versöhnt. Ich war gern allein. Im Grunde hat
mich deine beständige Anwesenheit in meinem Leben das
Alleinsein schätzen gelehrt. Ich widmete mich stärker den
Finanzen, dachte über meine Gesundheit nach, konsul-
tierte Ernährungsratgeber, las Bücher über die Bedeutung
von Hormonen. Es war, als wäre unsere frühere Leidenschaft ein sehr langer Ausflug gewesen, weg von uns selbst,
und jetzt wollten wir heim, müde und ehrlich, nur noch an
uns selbst denkend, an das, was uns gut tat.

Wenn du spätabends nach Hause kamst, grübelte ich
nicht mehr über den Grund für dein Zuspätkommen. Ich
zerbrach mir nicht mehr den Kopf über das, was du als
Begründung anführtest. Ich forschte nicht mehr nach, ob

es Ausreden waren oder nicht. Lächelnd und zugleich erschöpft sah ich zu, wie du zuerst ins Wohnzimmer gekommen und danach im Bad verschwunden bist.

Die sprichwörtliche Gegenläufigkeit. Jahrelang hatte es mich unruhig gemacht, die immergleichen Dinge zu verrichten, Morgen für Morgen, Abend für Abend. Ich war unduldsam gewesen. Inzwischen hatten sich die täglichen Abläufe geändert, und schon vermisste ich sie, das frühe Aufstehen, die Schulbrote, die Hausaufgaben, das Schimpfen über herumliegende Kleidungsstücke, die müden Abende vor dem Fernseher, die endlosen Zubettgeh-Rituale. Ich sehnte mich nach den Läusebehandlungen, dem Kuchenbacken für Spenden-Basare im Kindergarten oder in der Schule, den Terminen beim Kieferorthopäden. Auf meinen jahrelangen Wunsch, die Kinder mögen endlich selbstständig werden, folgte die Trauer, dass sie es tatsächlich geworden waren.

Die Wohnung wurde sauberer.

Ich bummelte mehr herum, bevor ich mich an die Arbeit machte, ging spät ins Büro. Ich legte mich auf den Teppich und blieb den Vormittag dort liegen. Ich versuchte mich an die Zeit zu erinnern, als meine Tage wie aufgefressen waren von den Anforderungen, die der Alltag mit den Kindern an mich gestellt hatte. Es gelang mir nicht. Ich sagte laut: Endlich habe ich das, was ich immer wollte. Vor Scham legte ich mir die Hand über die Augen.

Ich konnte in Ruhe essen, meinen Gedanken nachhängen. Aber die Stunden, die mir zur Verfügung standen, schienen mich müde zu machen anstatt wach. Wie gefangen in einer Zeitschleife, wachte ich jeden Morgen fünf Minuten vor halb sechs auf. Während ich früher schon vor der Arbeit Wäsche abgenommen, zusammengelegt und verstaut, einen Dinosaurier repariert, Frühstück gemacht, Telefonate geführt, Zettel unterschrieben und Spielzeugburgen in riesigen Beuteln auf dem Fahrrad zum Kindergarten transportiert hatte, war es jetzt eine Herausforderung, mich bis zum Mittag ins Bad zu begeben. Ich verbrachte eine Stunde damit, nach einer Briefmarke zu suchen, die ich in einer Schublade des Schreibtisches vermutete, und zwei weitere Stunden, um den Brief zur Post zu bringen. Auf dem Weg dorthin nahm ich extra abgelegene Straßen, fuhr langsam durch unbekannte Viertel.

Aus Gewohnheit *hastete* ich manchmal noch nach Hause.

Die Samstagnachmittage waren am grausamsten. Ich fühlte mich in die Zeit meiner Kindheit zurückversetzt, als ich das Wochenende herbeigesehnt hatte, an dem dann aber so wenig Außergewöhnliches passierte, dass ich mich sofort wieder nach dem Schultrott am Montag sehnte. Der Geschirrspüler piepste sein Endsignal. Die wenigen Teller, die vom Mittag darin standen, dampften aus, und ich blickte zu den gegenüberliegenden Häusern, zwischen denen für einen kurzen Augenblick ein Ausflugsdampfer zu erkennen war. Majestätisch zog er über den Fluss.

Ich ging ins Kino, manchmal auch ins Restaurant. Die nacherzählten Filme lösten oft Lachanfälle bei dir aus. Deshalb erzählte ich dir nicht mehr jedes Mal, wenn ich im Kino gewesen war.

Hin und wieder ein paar Tränen in der Küche, in der ich zurückblieb, zusammen mit dem Geschirr von einem improvisierten Abendbrot. Schon lange gierte ich nach dem Glas Wein am Abend.

Ich schaffte mir eine Katze an. Ich wollte in der großen Wohnung nicht so verloren sein. Erst hatte ich jahrelang die Kinder gestreichelt, dann streichelte ich die Katze. Ich glaube, sie merkte, dass sie bloß ein Ersatz war.

Nachdem ich sie eingewöhnt hatte, wurde sie mit einem Mal wieder scheu. Es dauerte nicht lange, dann lief sie weg. Es war keine Rassekatze, womöglich liegt das Weglaufen in ihrer Natur, dachte ich.

Als sie verschwunden war, weinte ich. Immer wieder musste ich weinen, über Tage hinweg. Ich habe es nicht vor dir getan. Ich schämte mich: Es waren viel mehr Tränen, als ich beim Tod deiner Mutter vergossen hatte.

Du hast mich getröstet, wenn auch nur halbherzig. Ich wusste, du warst froh, dass sie nicht mehr da war. Noch nach Wochen hattest du »er« zu ihr gesagt. *Er hat den Bad-läufer ramponiert. Er hat mich eine Stunde lang angestarrt.* Jeden Morgen bist du gegen den Fressnapf gestoßen, der neben dem Kühlschrank stand. Immer lag sie dort, wo du dich hinsetzen wolltest. Ich war mir sicher, du machtest absichtlich Geräusche, die sie nicht mochte. Dann hockte sie wie eingefroren da. Einmal fragte eine Bekannte, die zu Besuch bei uns war, wie die Katze heiße. Sie fragte *dich*. Hilfesuchend hast du zu mir geblickt.

Nach ihrem Verschwinden traute ich mich nicht, ein

neues Tier anzuschaffen. Ich dachte, auch das neue Tier würde spüren, dass es nur ein Ersatz war. Diesmal ein Ersatz für die verschwundene Katze.

Voller Kummer stellte ich fest, dass ich ihre Sünden, die kleinen täglichen Vergehen – das Pinkeln aufs Telefon, ihr lautes Maunzen in der Nacht, das vertilgte Stück Torte auf dem Küchentisch –, viel gelassener ertragen hatte als vor Jahren die Untaten der Kinder. Nie habe ich die Katze angeschrien.

Ich beglückwünschte mich, dass ich den Garten längst für mich hatte. Weil ich ihn niemandem mehr zeigen wollte, mühte ich mich nicht mehr darin ab.

Inzwischen gab es fast nur noch junge Familien in der Anlage. Sie bauten Baumhäuser auf die Parzellen und stellten Trampoline auf. Ich wurde nicht mehr aufgefordert, die Hecke zu richten oder das Nadelgewächs neben der Pforte zu entfernen. Nur den Giersch grub ich weiterhin aus. Mein Kampf gegen den Giersch hatte etwas Tröstliches. Abgesehen von dir war er das Beständigste in meinem Leben.

Die Pappeln rauschten, und kurz bevor es zu regnen anfing, klang ihr Rauschen wie das Meer.

Ich sagte mir: Die Natur ist schön.

Ich sagte es mir, damit mir der Gedanke an meinen Tod nicht so schrecklich vorkam. Das Buddeln in der Erde ist eine Einstimmung aufs Sterben. Man muss seinen Frieden machen. Ich grub den Giersch aus und sah dabei den Käfern und Würmern zu. Ich grüßte sie.

Bald sehen wir uns, sagte ich zu ihnen.

Ich versuchte, etwas Gutes darin zu entdecken – in dem ewigen *Spiel vom Werden und Vergehen*, das mir in Wahrheit wie eine Scheußlichkeit erschien.

Eines Nachmittags im Herbst, als ich mit dem Fahrrad unterwegs war, hielt ich an einer Kreuzung und sah: Sämtliche Ampeln waren rot. Autos, Fahrradfahrer und Fußgänger standen sich lauernd gegenüber, wie kurz vorm Duell. Wer würde als Erster seine Waffe ziehen? Das ist mein Leben, dachte ich. Ich war richtig böse, als die Ampel auf Grün schaltete und alles wieder in Bewegung kam.

Ich litt an nichts. Ich wollte nur nirgendwo hin. Nicht zu dir, aber auch nicht zu jemand anderem.

Am Abend schrieb ich einem Mann im Ausland, den ich vor langer Zeit auf einer Dienstreise kennengelernt hatte. Bei einem Umtrunk hatte er gesagt, meine Stiefel gefielen ihm. Später hatten wir uns in einem Hauseingang geküsst. In den Jahren danach hatten wir uns hin und wieder geschrieben, lauwarme Nachrichten, kleine Sehnsuchtsbröckchen, die wir ins Unbekannte schickten.

Angestrengt überlegte ich, was ich ihm mitteilen könnte. Nach zwei oder drei Sätzen wurde ich ratlos. Ich kam mir albern vor. Wie konnte man etwas Totes wiederbeleben?

Irgendwann klappte ich den Laptop zu. Damit war die Beziehung beendet. Es war nicht mal ein Beenden. Aus dem zeitweiligen Schweigen wurde ganz einfach ein endgültiges Verstummen.

Ich erwartete mir von einer Romanze keine Veränderung meines Lebens mehr. Ich erwartete mir nur eine Romanze.

Immer öfter fielen mir Episoden ein, an die ich schon sehr lange nicht mehr gedacht hatte. Als würde ich dich nachträglich bei etwas ertappen, erbrachten sie den Beweis dafür, dass ich mich von Anfang an in dir geirrt hatte. Mir fiel wieder ein, wie ich dir heimlich auf das Konzert gefolgt war. Anderthalb Stunden war ich mit dem Zug gefahren, und als ich dann in dem fast leeren Club gestanden hatte, hattest du mich nicht gesehen, so vertieft warst du gewesen, *vertieft in dein eigenes Leben.*

War das nicht typisch? Das dachte ich. Ich dachte es immer häufiger.

Typisch! Für ihn ist der umgekippte Weihnachtsbaum ein Anlass, ihn kurzerhand aus dem Fenster zu werfen, anstatt ihn wieder aufzurichten! (Während der alte Röhrenfernseher seit Jahrzehnten im Keller steht.)

Und dann die riesigen Sträuße, die er mitgebracht hat! Als hätte er sich von Anfang an freikaufen wollen.

Von überall her kamen plötzlich Erinnerungen angeflogen. Zum Beispiel daran, dass ich auf einer Party durch eine Wolke aus Alkohol mit angehört hatte, wie dich jemand über uns ausfragte und du in der Fremdsprache – war es in Frankreich, Rumänien oder Russland gewesen? – nach dem passenden Wort für ein erloschenes Feuer suchtest. Immer wieder hatte ich denken müssen: O bitte, Johnny, tu das nicht, Johnny, tu das bitte nicht! (Ohne dass ich gewusst hätte, aus welchem Film dieser Satz stammt.)

Auch das wiedergefundene Foto von mir (die rundliche Frau am Strand) schürte inzwischen mein Misstrauen. Ich war mir sicher, du hattest die Tage, an denen wir nicht zusammen gewesen waren, mit einer anderen Frau verbracht, einer *weniger fülligen*.

Ach, ich ging noch viel weiter zurück, die ganze lange Treppe schritt ich hinab. Ich dachte: Sämtliche Haschkekse, die ich ihm im ersten Sommer gebacken habe, die hat er allein vertilgt!

Und immer hat er sich in Schweigen gehüllt – wie ein Zauberer in seinen Mantel: mit großer Geste!

Und wie er sich ausgebreitet hatte, damals, als er zum ersten Mal bei mir in der Wohnung war! (Die Wohnung in der Plattenbausiedlung, der heiße Sommer.) Mit welcher Selbstverständlichkeit er am nächsten Morgen alle Schränke in der Küche aufgeklappt hat auf der Suche nach Mehl für einen Teig! Was wollte er überhaupt zubereiten, Eierkuchen, Pizza? Sogar meine Schürze hat er sich um den nackten Oberkörper gebunden, als wäre er überall zu Hause!

Ich geriet in Wut über Dinge, die vor fünfundzwanzig oder mehr Jahren stattgefunden hatten.

Das hast du mir nie erzählt!, rief ich.

Was?, fragtest du.

Woher hattest du das riesige Appartement damals in Paris?

Das interessiert dich plötzlich, die Wohnung in der Rue Duhesme?

Ich zuckte mit den Schultern.

Sie gehörte einem Professor von der Uni, er hatte ein Sabbatical im Ausland, ich sollte sie hüten. Zufrieden?

Ich winkte ab.

Du dachtest eine Weile nach. Dann fragtest du: Hat man damals eigentlich schon Sabbatical gesagt?

Entnervt verließ ich das Zimmer.

Auch das Bild, das du mir geschenkt hattest, dein Gesicht mit den geschlossenen Lidern in einem Dorgengestrüpp, verstand ich mittlerweile anders. Ich war mir sicher, dich hatte etwas bedrückt, dein Gewissen, irgendein Vergehen, das du vor mir geheim gehalten hattest und das du mir nur mit diesem Porträt hattest andeuten können.

Nein, ich hatte dein Spiel nicht durchschaut. Stattdessen hatte ich nur unsere Liebe im Sinn gehabt. Sie, die Liebe, hatte mich von der Wahrheit abgelenkt. Aber wie auch nicht? Schließlich hattest du dich über das Liebesunglück anderer immer lustig gemacht. Wir *beide* hatten uns darüber lustig gemacht.

Mir fiel wieder das Gespräch mit einer Bekannten ein, die uns unter Tränen der Verzweiflung von ihrem Freund berichtete, den sie verlassen wollte, weil er sie erdrückte. Die Liebe ist eine Frage des Willens, hattest du ihr seelenruhig erklärt, und als sie fragte: Aber habe ich denn etwa kein Recht auf Freiheit?, hatte ich ihr den Todesstoß versetzt: Freiheit ist doch nur eine Chance und noch keine Garantie für ein Gelingen. Das Leben kann auch misslingen – aus Freiheit.

Das hatte ich gesagt.

Die Liebe zu dir hatte mich hart und kalt und hochmütig werden lassen. Ein wunderbares, einzigartiges Gefühl war das gewesen. Wie sehr ich es genossen hatte.

Ich sehne mich nach diesem Hochmut. Diesem berauschenden Gefühl, wenn das Scheitern noch vor einem liegt.

Waren wir das Opfer unserer eigenen Planerfüllung geworden? In Momenten des Zweifelns oder der Langeweile sagte ich mir, dass ich mich nicht von dir zu trennen brauchte. Aufgrund der vielen Jahre, die wir nun schon miteinander verbracht hatten, war ich mit vielen Versionen von dir zusammen gewesen und somit mit verschiedenen Männern.

Ich fragte mich: Vielleicht hielt die Zeit ja doch noch Überraschungen für mich bereit? Bei diesem Gedanken schüttelte ich über mich selbst den Kopf.

Wir logen uns versierter an, aber eigentlich logen wir gar nicht mehr. Aufbrausendes Nachfragen war uns zu beschwerlich geworden. Manchmal fragte ich dich noch, wie dein Abend gewesen war, den du mit Kollegen oder einem Freund verbracht hattest (wobei ich die Wörter aus Gewohnheit noch immer in Anführungszeichen setzte). Ich fragte dich nicht aus Neugier. Ich fragte dich, weil ich gespannt war auf deine Reaktion, um der Lügengrafik, die ich über dich angelegt hatte, eine weitere Kurve oder einen Punkt hinzuzufügen. Du warst von einem Liebesobjekt zu einem Studienobjekt geworden.

Meistens aber hörten wir uns die Geschichten des anderen nur ruhig und leicht fatalistisch gestimmt an, innerlich bereits mit eigenen Dingen befasst, der Arbeit, kleineren Plänen, den Genüssen des Alltags.

Das Putzen war schon lange keine Strategie mehr. Nach einer Auseinandersetzung war mir jetzt eher danach, Geld auszugeben. Ich kaufte mir ein Kleid oder ein Paar Schuhe. (Die Kinder kauften sich die Sachen zum Anziehen inzwischen selbst.) Noch immer trafen in regelmäßigen Abständen die Kataloge verschiedener Versandhäuser ein. Sie erinnerten mich an unser bisheriges Leben. Es gab Kataloge von Lampendesignern (die Zeit, als die Kinder klein waren und wir viel Energie auf die Einrichtung der Wohnung verwandt hatten), ein Katalog für schöne, handgefertigte, sehr teure Dinge (die Zeit, da die Kinder noch nicht da waren), Kleidung für Kinder, hauptsächlich aus England und Frankreich (die Zeit, in der ich meine Beschäftigung mit derlei Dingen durch den Gedanken gerechtfertigt sah, Markenware *zahle sich aus*, was nichts weiter hieß, als dass sie teurer war), Medizin per Versandapotheke, Naturtextilien (eine sehr kurze Phase, in der ich nur noch Gutes tun wollte), Kataloge von Online-Gärtnereien.

Kurz half mir das *Shoppen* über die Lieblosigkeit hinweg. Dann wurde mir schwer ums Herz, wenn ich daran dachte, dass der Kapitalismus an unserem Unglück verdiente, und für eine nicht besonders lange Weile ließ mich dieser Gedanke wieder näher an dich heranrücken. Mir wäre es lieber gewesen, wir hätten einem gemeinsamen Feind gegenübergestanden.

Wir waren seit so vielen Jahren zusammen, aber ich wusste immer noch nicht, wer von uns beiden der Einsamere war.

Einmal, es war Januar, kam ich ins Wohnzimmer und sah dich am Fenster sitzen. Du hast mich nicht bemerkt, und ich bin stehen geblieben, damit ich dich ansehen konnte. Du hast dagesessen, die Füße auf einem Pouf, und hast hinaus in die kahlen Kronen der Linden geschaut, die unsere Straßen säumen. Dieser Anblick gab mir einen Stich. Für den Bruchteil einer Sekunde spürte ich wieder eine Verbundenheit zwischen uns. Eine Art Liebe, die nur von der Dauer, dem stetigen Verfließen der Zeit hervorgebracht wird.

Ich setzte mich zu dir, und du sagtest, dass du im Grunde zwei Jahrzehnte gebraucht hast, um zu begreifen, worum es im Leben geht und worum nicht. Mindestens zwei Jahrzehnte, wahrscheinlich länger. In deiner Kindheit und Jugend habest du gedacht, dass es darum gehe, zu einem allseits gebildeten Menschen zu werden. Du sagtest: Wir beide haben das doch geglaubt – oder nicht?

Ich nickte. Ich war froh, dass du nicht über unsere Beziehung sprechen wolltest. Diese Art des Gesprächs erinnerte mich an etwas, das weit zurücklag. Es war ein gutes Gefühl.

Aber darum, um den allseits gebildeten Menschen, geht es gar nicht, sagtest du.

Nein, bestätigte ich. Darum geht es schon lange nicht mehr.

Natürlich ist es naiv, sagtest du und blicktest weiter nach draußen. Es ist naiv zu glauben, dass ein allseits gebildeter Mensch die Gesellschaft am Ende besser macht. Es ist *unrealistisch*, aber trotzdem glaubt man daran. Auf eine heimliche, versteckte Weise hofft man, es wäre so. Dass es auf irgendetwas hinausläuft. Nicht nur das eigene Leben, sondern alles, die ganze Geschichte.

Ich war bestürzt, weil ich merkte, wie ernst es dir war.

Aber darum geht es überhaupt nicht, riefst du jetzt und hast dir heftig das Auge gerieben, wie immer, wenn du über etwas sprichst, was dir wichtig ist. Es geht nur darum, halbwegs gut über die Runden zu kommen. Es geht darum, es sich halbwegs schön zu machen. Wenigstens das eigene Leben halbwegs gelingen zu lassen. Darüber hinaus gibt es nichts. Gar nichts.

Jeder lebt sein Leben, sagte ich.

Und dann dachte ich: Vielleicht hat er recht, und wir haben in all den Jahren unseres Zusammenseins tatsächlich nur die Zeit bis zur nächsten Revolution überbrückt, wie du es vor einem Vierteljahrhundert zu dem Mann mit dem Rottweiler gesagt hattest.

Schon möglich, dass unsere Liebe ein Warten gewesen ist.

Ein Warten auf etwas, das größer ist als wir.

Was haben wir in all den Jahren, Tag für Tag, gemacht?

Seit Beginn unserer Liebe haben wir teilgenommen am sogenannten gesellschaftlichen Leben. Wir haben die Kinofilme verfolgt, die Jahr für Jahr herausgekommen sind, wir sind – etwas seltener – ins Theater gegangen. Wir haben gewählt, bei Kommunalwahlen, Landtagswahlen, Bundestagswahlen, Europawahlen, und wenn wir gewählt hatten, sahen wir abends mehr oder weniger gespannt bei den Wahlberichterstattungen mit den Hochrechnungen zu. Wir haben jeden Tag im Radio die Nachrichten gehört und politische Großereignisse mitgemacht, die meisten am Bildschirm (Jugoslawien, 11. September, Irak und Iran, Syrien, Fukushima, Krimkrise, die Attentate in Paris und die Gelbwestenbewegung, Afghanistan, Brexit, Ukraine). Wir haben uns empört – über die Vorkommnisse, von denen die Medien berichteten, aber mit den Jahren auch immer öfter über die Berichterstattung selbst. Wir haben Artikel über Menschen des öffentlichen Lebens gelesen, haben Talkshows verfolgt und uns *eine Meinung gebildet,* wir haben mit Freunden Debatten über das Geschehen in der Welt geführt und manchmal eine Petition unterschrieben. Die olympischen Sommer- und Winterspiele haben wir im Fernsehen gesehen und auch die Fußballweltmeisterschaften.

Inzwischen kommen mir all diese Geschehnisse wie das Nebenbeigeplätscher eines laufenden Nachrichtensenders vor, der das Wesentliche stetig begleitet hat.

Das Wesentliche: unsere Geschichte.

Manchmal haben wir demonstriert. Wir haben es auch wegen der Kinder getan. Wir wollten es ihnen vorführen. Einmal, ich erinnere mich nicht mehr, ob es eine Demonstration für oder gegen etwas war, haben wir ein Plakat gestaltet und sind mit ihnen zum Platz vors Rathaus gelaufen. Die Kinder waren aufgeregt. Der Lärm und die vielen

Leute machten ihnen Angst. Wir redeten ihnen gut zu. Als durch ein Megaphon die Aufforderung ertönte, sich auf die Straße zu setzen, taten wir es. Was für ein Abenteuer! In Wahrheit hielt ich das Ganze für ebenso wirksam oder unwirksam wie den Gebrauch von Voodoopuppen, mit denen man den Lauf der Geschichte zu beeinflussen glaubt. Nicht, dass mir das Demonstrieren gleichgültig gewesen wäre. Im Gegenteil, ich wünschte mir, es würde zu etwas führen.

Ich machte mir Gedanken darüber, was wir den Kindern unbedingt beibringen müssten. Welche Eigenschaften, welche Fähigkeiten wären in der Zukunft bedeutsam? Worauf sollten wir sie vorbereiten? War es wichtig, dass wir ihnen zeigten, wie man einen Knopf annäht oder seine Schuhe putzt, und zwar so, dass sie lange halten? Schon das Schleifebinden schien für ihre Generation keine Selbstverständlichkeit mehr zu sein. Und mussten sie die Rechtschreibung beherrschen? Gute Umgangsformen? Sollten wir sie vor Drogen warnen, und wenn ja, vor welchen?

Je länger ich darüber nachdachte, desto beliebiger wurde es.

Vielleicht ist das, was heute als außergewöhnlich gilt, ja in der Zukunft ganz gewöhnlich, sagte ich irgendwann zu dir. Vielleicht ist das, was heute *untragbar* ist, eines Tages das *ganz Normale*. Und umgekehrt.

Aber das ist doch längst der Fall, sagtest du. Nur wir sind die Dinosaurier.

Glaubst du, wir können irgendetwas hinterlassen? Das fragte ich dich (ich ließ nicht locker), dabei wusste ich es besser.

Du hast ganz kurz und verächtlich gelacht, und dann hast du geseufzt und zu einem Akkord auf der Luftgitarre den Beatles-Song angestimmt: »Love, love, love.«

Es ist aber falsch, wenn ich sage: Es war nur Nebenbeigeplätscher. Als hätte uns nichts berührt von dem Geschehen in der Welt.

Ich will mich richtig erinnern. An dein besorgtes, trauriges Gesicht, wenn wir beim Abräumen des Frühstückstischs hörten, dass irgendwo in der Welt Bomben fielen, in Afghanistan, Syrien oder später im Osten Europas. Die Kinder hatten bereits das Haus verlassen und standen, die Schultaschen über der Schulter, an der Straßenbahnhaltestelle, hinter den Häusern gegenüber gab es ein schönes Morgenrot, der Reif auf den Dächern glitzerte.

Ganz dicht hast du am Radio gestanden, wie ein Mensch vor hundert Jahren, der die fatalen, bösen Neuigkeiten nicht verpassen will.

Und dann hast du es ausgemacht und gesagt: Es kann doch nicht immer alles auf Zerstörung hinauslaufen!

Fast flehentlich hast du es gesagt, und ich habe dir kurz über den Rücken gestrichen, und dann bin ich auf dem Rad durch die klare Morgenluft ins Büro gefahren und habe im Supermarkt an der noch leeren Einkaufsstraße Joghurt und Nüsse gekauft (mein Mittagessen), bevor ich mich an die Arbeit machte.

Ich erinnere mich daran, dass ich dachte: Du hast recht. Du hast recht, du hast recht, du hast recht.

Unsere Liebe kam mir klein und zugleich mächtig vor.

Kein Minister oder Staatschef hat sein Amt so lange inne, wie unsere Liebe bereits dauert, sagte ich mir, nicht einmal einer der weltbekannten Diktatoren bringt das zuwege. Wir haben das Richtige getan, das einzig Mögliche, das man auf Erden tun kann, das *ich* zu leisten imstande bin. Ohne Liebe, ohne liebende Beschäftigung in dieser Welt zu sein kam mir absurd vor. Alles, was wir getan hatten, ergab Sinn. Sogar die Kleinigkeiten. Vor allem die. Dass wir Fotos in Alben klebten, Erdbeeren pflanzten, den WC-Papierrollenhalter »Dora« angeschafft hatten, Spaziergänge unternahmen, das Wohnzimmer zu den Geburtstagen mit Girlanden schmückten. All das waren Zeichen der Liebe.

Dass wir nicht losließen, nicht loslassen wollten, erfüllte mich mit Stolz. Man muss das Unglück in Schach halten, dachte ich. Man muss sich in die Liebe verbeißen. Wie zwei Hunde, die zähnefletschend an einem Stock zerren, jeder an einem Ende. (*Wollen doch mal sehen, wer hier den längeren Atem hat, die Weltgeschichte oder wir!*)

Mein Ehrgeiz war geweckt. Ich wollte noch immer, dass wir gewinnen.

Dreißig Jahre waren wir jetzt zusammen. Als ich noch jung war, kam mir dieser Zeitraum unvorstellbar lang vor. Selbst zwanzig, fünfundzwanzig Jahre – das war, wie an den Tod zu denken. Ich hatte Kittelschürzen und Krückstöcke vor Augen, vom Pfeifenrauch vergilbte Gardinen, Kochtöpfe, in denen schon um zehn Uhr vormittags die Kartoffeln köcheln. Wir dagegen – wir hielten noch immer Ausschau nach irgendeiner Gelegenheit, mit etwas Neuem beginnen zu können, nach einer Herausforderung, nach Sex.

Jetzt, wo die Kinder zunehmend ihrer eigenen Wege gingen, trafen wir uns wieder häufiger in Restaurants, zu späten Mittagessen. Wir unterhielten uns. Wir sprachen über die Agonie des amerikanischen Imperiums, die Trägheit Europas, die das einzige Vermächtnis zu sein schien, das diesem Kontinent noch blieb, Bewahren und Archivieren.

Abends gingen wir ins Kino. Wir hofften, etwas zu entdecken, aber es elektrisierte uns kaum noch etwas. Hinterher versuchten wir, wie früher über den Film zu reden. Wir gaben uns Mühe, doch oft stand unser Urteil schon beim Schauen fest. Wir sahen keinen Nutzen mehr darin, unsere Argumente geistreich voreinander auszubreiten.

Wenn in einem Film Gewalt gezeigt wurde, hast du es noch immer als persönlichen Angriff aufgefasst. Als wäre die Welt verpflichtet, dich anregend und *intelligent* anstatt mit Effekten zu unterhalten. Als in einer Szene ein Mann an einem Kran aufgehängt wurde, bist du aufgesprungen und hast kopfschüttelnd das Kino verlassen. Ich sammelte meine Sachen zusammen und lief dir durch den dunklen Saal hinterher.

Draußen protestierte ich: Aber in Paris hast du mich sogar in »Die 120 Tage von Sodom« geschleppt!

Du sagtest: Ja, aber den musste man gesehen haben. Heute weiß ich nicht mehr, was man gesehen haben muss. Wenn jetzt das Filmfestival in Berlin oder das in Venedig oder Cottbus läuft, oder das Kurzfilmfestival hier bei uns, dann weiß ich nicht, was ich mir ansehen soll. Das finde ich richtig schlimm.

In den Abendstunden wandten wir uns wieder mehr der Literatur zu. Früher hattest du mich oft nach Büchern gefragt. Wenn du gesehen hattest, dass ich gebannt in einem las, hattest du sofort nach dem Titel gefragt. Zu Beginn hatte ich den Fehler gemacht, dir das Buch sogleich zu überlassen. Skeptisch schlugst du es auf, als wolltest du prüfen, womit ich mich beschäftigte. Später wählte ich genauer aus, die, die ich dir zeigte, und andere, die ich vor dir verbarg, weil ich wusste, dass du sie ablehnen würdest. Meine Empfehlungen nahmst du mit gekrauster Stirn entgegen. Offenbar suchtest du noch immer nach etwas, das dir kein Buch der Welt je würde geben können.

Mein Gedächtnis ist eine Kiste, die auf einem Dachboden gestanden hat und nach langer Zeit geöffnet wird. Ich frage mich, auf welchem Wege sich Erinnerungen ihren Weg bahnen. Plötzlich und unerwartet sind sie da.

Das Manifest, das wir zu Beginn unserer Liebe verfasst haben, ging so:

1. Auf das Gefühl ist wenig Verlass.
2. Das Gerede von der Echtheit der Liebe ist eine Wahnvorstellung.
3. Nimm dir die Liebe so vor, wie man sich vornimmt, häufiger ins Kino zu gehen.
4. »Was sich für das Individuum hält, ist bei Lichte gesehen meist nur der trotzige Rest einer gescheiterten

Paarstruktur.« (Das hatten wir aus dem Buch eines damals angesagten Philosophen.)

5. Die Liebe ist nicht kompliziert.
6. Phantasiere dich in höchste Ansprüche, trage sie vor dir her.
7. Imitiere große Liebende, kopiere dich zum Meister.
8. Liebe so, dass deine Liebe historisch wird.
9. Riskiere, dass deine Kontur verwischt und in einem anderen aufgeht.
10. Verschwende dich nicht an eine fade Liebe.
11. Liebe MICH.

Den Text kann ich noch immer auswendig. Andere Dinge habe ich vergessen. Wir beide haben sie vergessen. So wollte uns später beim besten Willen nicht einfallen, an welchem Tag wir uns zum ersten Mal begegnet sind. Irgendein Datum. Nicht mal das können wir mit Sicherheit sagen: War es ein Wochentag oder zu Beginn der Semesterferien oder nicht eher mittendrin? Wann genau beginnt überhaupt die Liebe? Wann hatte *unsere* begonnen? Irgendwann haben wir uns darauf geeinigt, dass es der Tag war, an dem du mit dem Vanilletee an meiner Wohnungstür geklingelt hast.

Es stellte sich heraus, dass wir davon, wie es anfing, verschiedene Versionen im Kopf hatten. Ich erinnerte mich daran, dass ich zu dir gesagt hatte, ich wolle mich nicht ganz und gar aufgeben für jemand anderen, woraufhin du ungläubig gefragt hattest: Und worum geht es sonst in der Liebe, deiner Meinung nach? Dir war etwas anderes im

Gedächtnis geblieben. Als du auf mir lagst, in der ersten Nacht, hatte ich plötzlich seltsam geatmet. Als würde ich keine Luft mehr bekommen. Ich hatte dich von mir runtergeschoben. Du hattest Angst bekommen, du dachtest, ich hätte eine schlimme Krankheit, Asthma, die Lunge, irgendein Leiden, in das ich dich sicher gleich einweihen würde. Du warst auf ein Geständnis gefasst.

In Wirklichkeit war es deine Anwesenheit in meinem Zimmer gewesen. Die Realität dieses Vorgangs hatte mich überwältigt. Aber das habe ich für mich behalten. Es wäre mir peinlich gewesen zu sagen, dass ich vor lauter Glück keine Luft mehr bekam. Schließlich kannten wir uns erst seit Kurzem.

Auch später habe ich es dir nie gesagt. Später: zu der Zeit, als ich dachte, du hast es nicht verdient, es zu wissen.

Es: wie sehr ich dich geliebt habe.

Ich war wütend. Wie naiv ich gewesen bin! Mich so aufzusparen für dich! Mein ganzes Leben auf dich auszurichten, während du längst – immer! – deiner Wege gegangen bist.

Dann wieder beruhigte ich mich, indem ich mir sagte, dass meine Leidenschaft nur mich selbst etwas anging. Es ging nur mich etwas an, wenn ich dich geliebt hatte, es vielleicht immer noch tat. Ich redete mir gut zu: Immerhin weiß ich, was gemeint ist, wenn von Liebe die Rede ist.

Das Auf und Ab meiner Gedanken ähnelte Wellen – immergleich und doch anders. Die täglichen Variationen brachten mich nicht auf. Sie ließen mich fühllos werden.

Im Wirrwarr meiner nicht getroffenen Entscheidung

wusste ich bald nicht mehr, wann es noch zu früh und wann es schon zu spät dafür war, dich zu verlassen. Ich fragte mich nicht mehr: Wann ist der richtige Zeitpunkt? Ich fragte mich, ob ich überhaupt noch spüren würde, wann es an der Zeit ist.

Eine Erinnerung: In meiner Anfangszeit an der Universität, ungefähr zu der Zeit, als wir uns kennenlernten, unterhielt ich mich oft mit einer Studentin, die in einem meiner Kurse saß. Sie hatte bereits zwei Semester im Ausland verbracht, in Spanien, und da ich auch vorhatte wegzugehen, fragte ich sie regelmäßig aus. Irgendwann vertraute sie mir an, sie habe dort, in Spanien, eine Nacht mit einem Mann verbracht, und obwohl sie sehr in ihn verliebt gewesen sei, habe sie ihn gleich darauf verlassen.

Idiotischerweise ist das Ganze zwei Wochen vor meiner Abreise passiert, sagte sie und seufzte. Ich habe es abgebrochen, bevor es *richtig* ernst werden konnte. Ich musste es tun, erklärte sie. Was wäre aus uns geworden, er dort und ich hier, in Deutschland?

Sie zog alle möglichen emotionalen Scherereien in Betracht, die sich ergeben, wenn man verliebt ist, aber weit voneinander entfernt lebt. Scherereien, die sie *theoretisch* gequält haben, da sie sich auf die Geschichte gar nicht erst eingelassen hatte.

Vielleicht ist es eine Frage des Alters. Wenn man jung ist, denkt man, man könnte die Liebe getrost ausschlagen, man hat Zeit, sie wartet überall. Aber vielleicht hat es auch nichts damit zu tun, wie alt man ist. Schließlich fand ich es schon damals gewagt, ja geradezu fahrlässig, sich vor der Liebe bewahren zu wollen. Würde ich jemals etwas bereuen, dann das. Da war ich mir sicher.

Eines Abends hast du Essen für uns beide mitgebracht. Ich erzählte dir von einem Traum, den ich dir am Morgen nicht hatte erzählen können, weil keine Zeit dafür gewesen war: ich auf einem Boot, in einem Gebiet, das mich ans Donaudelta erinnert hatte.

Du weißt doch, sagte ich. Ungefähr so wie in Sulina, wo wir über die vielen Kanäle durch das Schilf zu der alten Baracke gerudert sind.

Du hast gelächelt und dann von einem Segelboot erzählt, das du kaufen wolltest. Es ist nicht groß, sagtest du, keine Yacht, bloß ein Bötchen.

Verblüfft sah ich dich an. War das nicht der beste Beweis dafür, dass wir zusammengehörten? Wir waren zwei Menschen, die auf stumme, untergründige Weise noch immer miteinander verbunden waren.

Wir saßen wieder häufiger zu zweit am Tisch. Wir genossen es. Wir redeten miteinander beim Abendbrot, das wir nur für uns beide zubereitet hatten. Es war ruhig. Wir tranken eine Flasche Bier, die wir uns teilten, dann noch eine, manchmal Wein.

Du erzähltest ausschweifend von deiner Arbeit, und ich wunderte mich, wie wenig ich von dir wusste. Du warst ein Unbekannter. Ein interessanter Mensch. Da waren Projekte, von denen ich nie etwas gehört hatte, du hattest in Jurys zu tun, kanntest Leute, den Oberbürgermeister, die Kulturstaatsministerin. Nur an bestimmten Gesten erkannte ich dich wieder (dem Nesteln am Oberarm, während du mir von einem guten Einfall erzähltest, den Zeitformen, die dir manchmal durcheinandergerieten, oder deinem gelegentlichen Verwechseln von *als* und *wie*).

Als du auf der Beerdigung eines Bekannten die Grabrede hieltest, weinte ich mehr vor Rührung über dich als vor Trauer angesichts des Toten. Diese Sätze waren von dir? Du konntest ja schreiben, du fandest starke Bilder, den richtigen Ton. Die Menschen folgten dir gebannt.

All das war in der Zwischenzeit aus dir geworden.

Vielleicht stimmte es ja wirklich: Man musste nur lange genug dableiben.

Plötzlich war mir nicht mehr klar, ob etwas aufhört oder beginnt.

Wir waren nur schlafgewandelt zwischen dem, was uns verloren gegangen war, und dem, was wir zurückgewinnen wollten.

Mit einemmal hatte ich wieder Lust auf Dauer.

Auf den Irrsinn der Dauer.

Und dann das erste Mal, wie nach einem langen Fortsein, einer Jahre dauernden Irrfahrt. Da waren wir: zwei leicht beschämte Fremde, die Ähnlichkeiten mit einer früheren Version ihrer selbst entdeckten und wie aus dem Jenseits zueinander sprachen.

Es war eigenartig, dich wieder zu mögen. Eigenartig *erregend*, sich wieder zu lieben.

Blitzartige Erinnerungen daran, wie es gewesen war, als du mit einer Art Bewunderung zum ersten Mal meine Augen, meine Brüste angesehen hattest. Mein nackter Körper war derselbe wie zu Beginn, zur Zeit unseres Kennenlernens, nur ein wenig abgenutzter. Auch damals war meine Fülligkeit bloß etwas Vorübergehendes gewesen, ein Unglückspanzer nach einem tränenreichen Abschied von der Jugend. Du warst aufgetaucht, hattest dich der Mode der Selbstzermarterung verweigert, dem ewigen Sich-im-Kreis-Drehen, und sofort hatte ich mich dir angeschlossen. Wie ein Mädchen aus einem Provinznest die erstbeste Chance ergreift, die sich ihr bietet, um wegzukommen von ihrem aussichtslosen Leben, dem immergleichen Trott, so bin ich in deinem Auto auf den Beifahrersitz gesprungen und habe gerufen: Nun fahr schon, fahr endlich los!

Und du hast Gas gegeben und bist losgefahren.

Daran, an dieses Bild, muss ich jetzt denken. Mir fällt auf, dass ich immer den Eindruck hatte, du hättest mich aus meiner jugendlichen Verzweiflung erlöst. Ich grüble und grüble, aber mir will kein Moment einfallen, wo es umgekehrt war. Aber deine Version unserer Geschichte kenne ich nicht. Ich glaube, ich hätte Angst, sie zu hören.

Dies alles könnte auch in einem anderen Licht aufscheinen. Man könnte es erzählen als eine Kette wunderbarer Momente, Perlen der Heiterkeit, unendlich viel Gelächter.

Man muss sich entscheiden.

Vermutlich schreiben die meisten Schriftsteller deshalb

mehr als nur ein Buch. Weil man, wenn eins fertig ist, begreift, was alles darin fehlt. Und dann, um die Lücke zu füllen, um es besser, ja endlich einmal richtig zu machen, muss man das nächste schreiben. Wie Fenster in einem sehr großen Haus, die man bei Sturm zu schließen versucht, und immer wenn man glaubt, nun ist es geschafft, alles zu, fliegt wieder irgendwo eins auf, und man muss sich darum kümmern.

Ich war schon lange nicht mehr darüber zornig, dir jahrelang blind vor Liebe gefolgt zu sein. Ich bereute nicht, dass ich abhängig von dir gewesen bin. (Möglicherweise bin ich es ja noch immer.) Ich bin auch nicht irgendwann aufgewacht, um endlich *meinen eigenen Weg zu gehen*. Das sind lächerliche Phrasen.

Wenn ich Zorn empfinde, dann darüber, dass meine blinde Liebe zu dir verschwunden ist. Ich vermisse sie. Ich vermisse sie noch stärker, als ich dich vermisst habe.

Aber kann die Liebe denn zurückkehren? Und wenn, wo ist sie in der Zwischenzeit gewesen?

Ich weiß es nicht.

Ich sehe es ja an mir. Es ist noch gar nicht lange her, dass ich mir sagte: Ich verlasse dich. Heute noch. Ich ermahnte mich, es sofort auszusprechen, bevor andere Worte dazwischengeraten würden. Ich hatte Vorkehrungen getroffen, sogar gepackt hatte ich. Das heißt, ich wollte packen. Ich überlegte, was ich alles mitnehmen würde. Ich dachte an die große schwarze Ledertasche oben im Schrank. Dachte darüber nach, wie es wohl ist, zum letzten Mal durch unsere Wohnungstür zu gehen. Gleich nachdem du hereingekommen wärst und ich den Satz gesagt hätte.

Aber währenddessen, während ich darüber nachdachte, wie ich es anstellen sollte, bereitete ich ein Essen für uns zu. Ich stand in der Küche, in einem leuchtend roten Kimono, und rührte in einem Topf. Ich vermischte Gurken und Hackfleisch und kochte beides in einer Tomatensauce. Anschließend gab ich Dill, Essig und Zucker hinzu. Ich drehte die Temperatur herunter. (Das Ganze sollte durchziehen, Aroma aufnehmen.)

Ich schaute in den sprudelnden Sud. Aber anstatt weiter über mein Weggehen nachzudenken, dachte ich darüber nach, in welchem Hotel in Paris ich gern mit dir übernachten würde. Welches Viertel lag uns eigentlich mehr, Montmartre oder Montparnasse? Es heißt, man sollte nie dorthin zurückreisen, wo man einmal glücklich gewesen ist. Ich würde es trotzdem gern tun, sagte ich mir. Ich kann nie aufhören, bevor ich etwas nicht zu Ende erlebt habe. Immer ist da eine merkwürdige Resthoffnung in mir. Die Hoffnung, das Leben werde überraschende Kehrtwendungen für mich bereithalten.

Vor dreißig Jahren hatten wir uns vorgestellt, irgendwann einmal würden wir ein Zimmer im Hotel Lutetia beziehen. Erst später habe ich gelesen, dass das Lutetia nach dem Krieg die Sammelstelle für die Überlebenden war, die aus den Lagern zurückkehrten. Ausgemergelt, für immer verändert, lagen die ehemaligen Häftlinge in den Hotelbetten. Und all die Menschen, die auf die Rückkehr von jemandem hofften, die auf ihren Sohn warteten, einen Bruder, die Mutter, die Schwester, den Ehemann, gingen dorthin, ins Lutetia, und fragten nach, jeden Tag aufs Neue. Ich vermute, die Menschen hatten bei all ihrer Hoffnung auch *Angst* davor, den geliebten Menschen unter den unheimlichen Gestalten zu entdecken.

So war es an jenem Abend, genau so. Anstatt nach der Tasche oben im Schrank zu suchen, rührte ich und dachte über das Lutetia nach. Schließlich hörte ich die Tür gehen, erst die im Flur, dann öffnete sich die zur Küche. Ich blickte hoch und schaute dich an.

Ich rührte, und dann sagte ich: Ich habe Schmorgurken für uns gekocht.

Wieso sagt man das Falsche? Wieso verwechselt man die Wörter? Eigentlich wollte ich sagen: Ich verlasse dich. Stattdessen sprach ich weiter.

Ich liebe dich, sagte ich.

Du hast deinen Mantel über den Stuhl gelegt, ganz langsam. Und dann hast du mich angesehen und gefragt: Wie bitte, was hast du gesagt?

So war das. So ist es mir in Erinnerung geblieben.

Was ich an dem Abend verstanden habe: Man kann sich selbst nicht trauen. Ich war mir nicht sicher, ob ich das, was ich gesagt hatte, richtigstellen musste. Hattest du es überhaupt gehört?

Später ging ich auf den Balkon, weil es zu schneien begonnen hatte. Ich stand da und betrachtete den Schnee, der nach und nach die abgestorbenen Pflanzen bedeckte.

Wir haben dreißig Jahre lang geträumt, jeder für sich,

dachte ich. Und ich dachte auch, dass ich nichts anderes gewollt hätte.

Die wichtigsten Dinge fallen einem am Schluss ein.

Wir haben nie geheiratet.

Zu Beginn war ich stolz darauf, wir brauchten keinen vom Staat bezeugten Schwur. Später und für lange Zeit war ich froh, dass wir unverheiratet waren. Ich sagte mir: Das macht es leicht. So müsste weder ein Anwalt eingeschaltet noch über irgendwelche Zahlungen entschieden werden, wenn es so weit wäre. Es ist allein unsere Angelegenheit, sagte ich mir.

Erst nach Jahren, Jahrzehnten sogar, als mich auf einem amerikanischen Konsulat der Officer bei der Prüfung für ein Arbeitsvisum fragte, warum ich nicht verheiratet sei (ich hatte ihm erzählt, du kämst mich dort, in Ohio, besuchen), sagte ich: Du und ich, wir hätten den Zeitpunkt verpasst, und jetzt sei es zu spät. (Im selben Moment erschrak ich, weil ich dachte, der Botschaftsbeamte könnte es als Ironie auffassen, und Ironie war bei einem Visumsprüfverfahren sicher nicht angebracht.) Unser vor drei Jahrzehnten im Park geschlossener Pakt kam mir vor wie eine sehr weit zurückliegende Lächerlichkeit. Ein Privatmythos ohne jede Bedeutung. So was ließ sich nicht erzählen, schon gar nicht gegenüber einem Beamten.

An jenem Tag hattest du mich mit dem Auto zum Konsulat gebracht. Es war Silvester, und du hattest in der Zwischenzeit Raketen und ein paar Knaller für den Abend gekauft. Auf dem Weg zurück nach Hause dachte ich: Welchen Beweis, abgesehen von ein paar Anekdoten, gibt es für unsere Liebe? Welche Spur würde bleiben von uns? Ich überlegte, ob wir nicht doch einmal heiraten müssten. Möglicherweise habe ich das aber auch schon früher gedacht, es mir gewünscht, von Anfang an. Wer weiß schon genau, was man zu welchem Zeitpunkt gedacht hat und was einem davon im Gedächtnis bleibt.

Es ist so: Ich muss mich aufraffen, über uns zu schreiben, darf nicht mehr zögern. Erst wenn es festgehalten ist, existieren wir, das heißt: alles. Die Liebe und deren Verwandlung, die Leidenschaft, die Erstarrung und der Jubel, unsere Einsamkeit und unsere Zugewandtheit.

Also ungefähr das, nehme ich an, was man ein erfülltes Leben nennt.